Alain Pelos

Stargate
LE GUIDE
Les séries TV

**Stargate SG-1 :
tous les épisodes chroniqués !
Stargate Atlantis
Stargate Universe
Les films TV**

Table des matières

- Le film des origines : Stargate, la porte des étoiles 4
- La série Stargate SG-1 le casting 5
- Stargate SG-1 – Atlantis - Universe 7
  - Stargate SG-1 7
  - De Stargate SG-1 à Stargate Atlantis et Stargate Universe 12
  - Comment la science fiction moderne intègre-t-elle les dernières découvertes de la mécanique quantique ? 15
  - Quatre styles d'envahisseurs dans SG-1 16
- Les films 18
  - Stargate SG-1 The Ark of Truth (L'Arche de vérité) 18
  - Stargate Continuum 21
- Stargate SG-1 : les épisodes 23
  - 0101 : Le Pilote : Les Enfants des Dieux 23
  - Saison 1 Le plan de Table 24
  - Saison 2 Les Goa'ulds dans toute leur splendeur 31
  - Saison 3 Explorations et invasions 39
  - Saison 4 To'kra et Réplicateurs 47
  - Saison 5 Disparition de Daniel Jackson 55
  - Saison 6 Jonas Quinn 61
  - Saison 7 Samantha Carter 68
  - Saison 8 Les Amours de Carter (roman-photo) et la défaite des Goa'ulds 76
  - Saison 9 Quête du Graal, Oris et hérétiques 83
  - Saison 10 La Mort des Oris et l'arme de Merlin 91
- Annexes 96
  - Liste des épisodes de Stargate Atlantis 96
  - Liste des épisodes de Stargate Universe 99

Le film des origines : Stargate, la porte des étoiles

Stargate, la porte des étoiles de Roland Emmerich (1994), de la science-fiction, de l'Égypte ancienne et le monde sera sauvé grâce à... l'armée américaine et sa bombe atomique. Très bon cinéma réalisé par un formidable artisan. Ce qui est novateur dans ce film, c'est l'alliance entre la fascinante mythologie égyptienne et la science-fiction : cette mythologie n'est pas une invention des hommes, elle est réelle, elle a été inventée par un extraterrestre tout puissant qui vit dans un autre univers et qui, grâce à la *« porte des étoiles »,* enlève des êtres humains pour le servir. Un commando de Marines parviendra à l'éliminer. Roland Emmerich a-t-il redonné ses lettres de noblesse au cinéma de science-fiction avec ce film ? Le début du film commence comme tant d'autres par des fouilles archéologiques en Égypte. *« Qui a bâti les pyramides ? »* Pas ceux que l'on croit... Il y a aussi le jeune savant de tant de films de SF, celui qui finit par avoir raison, tel le docteur Quatermass. C'est effectivement de la vraie science-fiction, avec une théorie scientifique qui sous-tend l'histoire, de vrais appareils technologiques. Il y a aussi une autre planète, des animaux bizarres (un peu copiés sur *Starwars*), un peuple à la langue bizarre et des extraterrestres. C'est une réflexion politique sur le pouvoir. Le film se termine par ces paroles : « Nous ne vivrons plus en esclaves ! » Finalement, c'est un bon film ! On a du mal à y reconnaître Kurt Russel, l'acteur fétiche de John Carpenter, sans son bandeau à l'œil et sans ses cheveux longs...

La série Stargate SG-1 le casting

Créée par Brad Wright et Jonathan Glassner en 1997.

**Avec
Richard Dean Anderson, Ben Browder,
Amanda Tapping, Michael Shanks,
Christopher Judge, Claudia Black,...**

La dixième et dernière saison s'est terminée en 2007.

Stargate SG-1 – Atlantis - Universe

Stargate SG-1

Stargate SG-1 est un développement du film "Stargate" dans lequel est découvert un artefact en Égypte en forme de cercle et qui permet de se rendre sur une autre planète. Ainsi, les pyramides égyptiennes sont en réalité des systèmes d'atterrissage d'extraterrestres qui ont déporté des humains sur une planète nommée Abydos. Sur cette planète règne Ra, le Dieu égyptien qui s'avère être un extraterrestre aux terribles pouvoirs.
Deux personnages de ce film sont repris dans la série : le colonel Jack O'Neill et le docteur Daniel Jackson. Ils ne sont pas joués par les mêmes acteurs que dans le film. On est un peu gêné au début, mais ensuite on s'habitue. Jack O'Neill est joué par Richard D. Anderson (celui qui avait joué Mike Gyver) et Jackson par Michael Shanks.
Brad Wright et Jonathan Glassner ont développé ce thème pour la télévision et en ont fait une des meilleures séries de SF (pour moi c'est la meilleure).
Ils ont imaginé que des milliers de planètes de la galaxie (puis d'autres galaxies) possèdent une porte des étoiles. Et qu'ainsi on peut voyager dans ces planètes, qui pour beaucoup d'entre elles sont peuplées d'êtres humains venus de la Terre et déportés là par des extraterrestres, les Goa'ulds, qui se font prendre pour des dieux.
L'armée de l'air américaine organise donc des unités spéciales d'exploration de ces planètes nommées SG (pour Star Gate). La plus prestigieuse d'entre elles est SG-1.
Elle est composée de quatre personnes : le colonel O'Neill (qui sera promu au grade de général), le capitaine Samantha carter (qui sera promue au grade de lieutenant-colonel), le docteur Daniel Jackson et Teal'c, un extraterrestre Jaffa.
Cette équipe est composée de deux scientifiques : le colonel Samantha Carter - une très grande physicienne capable de se mêler de mécanique

quantique et de cosmologie - et le docteur Daniel Jackson - anthropologue, spécialiste des mythologies et des langues anciennes (et modernes d'ailleurs). C'est de la science fiction pure.
Le personnage de Carter est le personnage le plus intéressant de la série. Elle personnifie l'émancipation de la femme (ce qui plaît beaucoup à de jeunes fans féminines de la série) : une femme séduisante (très "sexy" comme aime à le répéter Rodney Mc Kay), mais aussi très guerrière et très savante. Elle joue un rôle décisif dans l'équipe. Carter c'est l'anti Bimbo, mais elle est belle et intelligente. Voici ce que dit Amanda Tapping dans un des bonus du DVD : « Mon personnage est un mélange de Jack O'Neill et Daniel Jackson. Une sorte d'hybride. (...) Le but de cette série est de divertir le public, lui permettre de se poser des questions en l'emmenant ailleurs pour qu'il se demande : "Est-ce possible ?" Oui ! ça l'est. »
Daniel Jackson est un peu caricatural avec son air ahuri (l'acteur n'est pas excellent il faut le dire) et Jack O'Neill aussi avec son humour un peu lourd. Quant à Teal'c il est à l'image de son physique : lourd et renfermé. Il exprime des mots et des formules assez étudiées par les scénaristes afin de montrer ses difficultés à comprendre notre civilisation. Il répète souvent « En effet » pour simplement exprimer on accord et ces deux mots seront les derniers de la série dans le dernier épisode (1020 "Le Temps d'une vie")
Si nous sommes antimilitaristes, ne nous laissons pas rebuter par l'organisation militaire : O'Neill est un indiscipliné chronique et seule Carter est très disciplinée, car elle a hérité cela de son père qui était général. D'autre part, il n'est jamais question de défendre l'impérialisme, au contraire, le docteur Jackson (avec souvent un peu de niaiserie) est là pour défendre les intérêts des peuples et des cultures.
Il y a bien sûr de nombreux personnages secondaires que nous retrouverons avec plaisir dans le récite des épisodes ci-dessous : le sergent Siler (qui se balade toujours avec une clé anglaise à réparer quelque chose), le sergent qui ouvre la porte et décline « chevron un enclenché », etc. qui finira par avoir un nom bien tard dans la série...
On peut également être surpris de constater que tous les peuples humains rencontrés parlent la même langue que les explorateurs. C'est une ellipse nécessaire à cause de la courte durée (42 minutes) d'un

épisode. On voit mal consacrer la moitié de chaque épisode à la traduction !

Enfin, la série connaît de nombreuses histoires d'amour. La plus récurrente est celle entre Carter et O'Neill qui, comme c'est toujours le cas dans les séries télé, est un amour impossible. Mais aussi avorté, car, l'acteur Richard D. Anderson qui joue O'Neill a quasiment quitté la série à la saison 8, car il en avait marre d'être éloigné de sa famille, le tournage de la série se déroulant à Vancouver.

Cette série reprend bien des thèmes de la série "Au-delà du réel, l'aventure continue", avec les mêmes réalisateurs pour certains épisodes, comme Mario Azzopardi pour le pilote de SG-1 et d'autres épisodes. Les producteurs sont les mêmes pour les deux séries. Elle a été tournée sur les mêmes lieux que X-Files et on retrouve souvent dans SG-1 et Atlantis des acteurs de X-Files, comme Mitch Pileggi (Walter Skinner dans X-Files), Robert Patrick (John Doggett dans X-Files) et d'autres. Amanda Tapping a joué dans "Au-delà du réel l'aventure continue", saison 4 épisode 13 "Le Raid des Vénusiens", dans la série Millenium (le X-Files bis de Chris Carter) dans l'épisode 10 de la saison 3 "Sursis" (elle n'y est pas doublée par la même comédienne française) et dans X-Files saison 3 épisode 21 "La Visite", dans lequel elle subit une autopsie par Dana Scully.

De nombreux acteurs de la série "Au-delà du réel, l'aventure continue" jouent dans SG-1.

Don S. Davis, qui jour le général Hammond dans SG-1 joue le père de Dana Scully dans X-Files et Megan Leicht (que l'on voit dans quelques épisodes de SG-1) joue le rôle de la sœur de Mulder : Samantha. Nous voyons aussi dans SG-1 l'acteur qui joue "L'homme à la cigarette" dans X-Files (dans SG-1 c'est un prêcheur Ori).

Teryl Rothery qui joue la délicieuse docteur Fraiser dans SG-1 (jusqu'à l'épisode 718 "Heros 2" où son personnage meurt) joue dans l'épisode 11 de la saison 2 de X-Files "Excelsis Dei" (elle joue l'infirmière dans la maison de retraite).

On reconnaît également bien des lieux communs entre les deux séries.

Ce qu'il leur est arrivé !
Nos quatre amis de l'équipe SG-1 ont subi bien des vicissitudes tout au long des plus de 200 épisodes de la série…
Ils ont tous été soumis à des transformations (sauf Teal'c je crois). Ils ont eu leur double robotique ou autre et aussi des doubles dans des réalités parallèles : Carter, O'Neill, Jackson, Teal'c.
Carter a été infectée deux fois par un Goa'uld O'Neill une fois (0301).
Les méchants ne le sont jamais complètement, car ils ont leur motivation pour l'être et des excuses (y compris les Goa'ulds, devenus méchants à cause de leur sarcophage de survie)… et les gentils sont parfois devenus méchants. Les gens sont tous gentils (comme Jackson dans le 0205) mais le Mal peut les habiter parfois.
Le thème de la possession par un être extérieur est omniprésent.
Les religions n'ont pas la cote malgré la tolérance de Jackson qui frise parfois la niaiserie. Ce thème sera hypertrophié avec les Oris dans les deux dernières saisons et le film *L'arche de la vérité*.
Enfin quasiment tous les amours sont impossibles, particulièrement ceux de Carter avec O'Neill (surtout dans la saison 4, mais on ne sait pas ce qu'ils font dans les derniers épisodes de la série…), Martouf, Pete avec lequel elle a failli se marier… Mais aussi Jackson avec Sha're et Linea… Même O'Neill connaîtra des amours impossibles ici ou là…
Seul Teal'c semble toujours connaître l'amour épanoui…

De Stargate SG-1 à Stargate Atlantis et Stargate Universe

À partir des deux derniers épisodes de la saison 7 de Stargate SG-1 (21 et 22 : "La Cité perdue") est né le "Spin Off" de Stargate SG-1 : Stargate Atlantis. Voir ci-dessous le récit de ces deux épisodes. À partir de la découverte d'une base des Anciens en Antarctique, on découvre que ces derniers viennent d'une autre Galaxie, celle de Pégase et on retrouve leur cité, la cité d'Atlantis. Là-bas est installée une base terrienne internationale sous le commandement du docteur Elizabeth Weir. Cette dernière est jouée dans les épisodes 721 et 722 de SG-1 par Jessica Steen une blonde plaisante et par Torri Higginson une brune plaisante dans les épisodes 801 et 802, et ensuite, dans les saisons 1 à 3 de Stargate Atlantis. Elle sera remplacée par Samantha Carter dans la saison 4. cette dernière, occupée par sa nouvelle série "Sanctuary" quitte cette fonction dans la saison 5 remplacée par l'ineffable Woolsey (joué par Robert Picardo) … Ce personnage, comme beaucoup de personnages de la série, connaît une évolution assez surprenante. L'actrice Torri Higginson (Elizabeth Weir en brune) n'aime pas qu'on lui pose la question sur ce changement de comédienne pour ce rôle. Quand elle a été engagée, elle ne savait pas que le rôle avait été interprété par une autre actrice pendant deux épisodes.

Les hommes et les femmes d'Atlantis connaîtront un ennemi terrifiant : les Wraiths.

Les Wraiths sont des êtres intelligents de la galaxie de Pégase où se trouve Atlantis. Cette race est née d'une symbiose entre des humains et un insecte. Ils ont la particularité atroce de ne pouvoir se nourrir que des êtres humains en leur aspirant leur énergie vitale par un orifice placé sur la paume de leur main droite.

Un "E2PZ" (ZPM en anglais) est une petite machine légère inventée par les Anciens qui permet d'extraire l'énergie du vide. Cette série, aussi bien que Stargate SG-1 utilise beaucoup de concepts de la mécanique quantique (aujourd'hui on dit la physique quantique des champs...)

Les Anciens sont la race (aujourd'hui disparue) qui a construit la cité d'Atlantis dans la galaxie de Pégase et qui avait également laissé divers artefacts sur Terre, artefacts qu'on a retrouvés en Alaska. Cette découverte (relatée dans Stargate SG-1) a été le début du spin off de

Stargate SG-1 : Stargate Atlantis.
L'action de "Stargate : Universe" se situe principalement sur le Destiny, un vaisseau spatial utilisé autrefois par les Anciens pour une expérience. Elle a eu lieu il y a des millions d'années, mais ne fut jamais aboutie ; elle consistait à voyager dans les contrées les plus reculées de l'univers grâce au neuvième chevron de la Porte des Etoiles et deux appareils : un vaisseau automatique chargé de placer les Portes suivi par un autre chargé proprement dit de l'exploration.
C'est sur ce vaisseau qu'embarqueront les héros de la nouvelle série, qui sera justement centrée sur les explorations et les avancées permises par ce 9ème chevron...
L'action démarre sur les chapeaux de roue avec la sortie très violente de nombreuses personnes d'une porte des étoiles dans un endroit clos. Puis par une série de flash-back, on apprend petit à petit comment tous ces gens sont arrivés là, sur un vaisseau des Anciens.
La réalisation est excellente. Le scénario très recherché et il s'appuie bien sur toute la mythologie des portes des étoiles. Les fans de Stargate SG-1 et Stargate Atlantis ne seront pas déçus j'en suis sûr.
On prend un grand plaisir à revoir Jack O'Neill (l'acteur a pris un sacré coup de vieux…), Samantha Carter et Daniel Jackson qui jouent un rôle important au début, car la porte des étoiles aux neuf chevrons a été découverte sur la planète des Anciens. Mais elle a été attaquée par des Goa'ulds et il faut fuir, car la planète va exploser. Au lieu de composer les coordonnées de la Terre sur la porte des étoiles, le professeur compose l'adresse avec le neuvième chevron qui emmène toute la colonie dans un vaisseau Ancien antédiluvien.
Il y a de nombreux personnages. La difficulté est de les faire vivre tous. Mais dans les deux premiers épisodes qui constituent le pilote, c'est très bien parti : chaque personnage prend bien sa place et son caractère bien campé ainsi qu'une esquisse de son histoire personnelle.

Comment la science fiction moderne intègre-t-elle les dernières découvertes de la mécanique quantique ?

De grands auteurs américains de hard science le font avec plus ou moins de bonheur.

Au cinéma c'est assez rare; j'ai détecté cette utilisation dans le film "Déjà vu" assez intéressant sur les voyages temporels. L'explication scientifique tient assez la route.

Je suis en train d'étudier les séries "Stargate" (SG-1 et Atlantis) et là c'est le summum.

Toute l'intrigue "scientifique" de la série est basée sur la mécanique quantique. Les "discours" scientifiques de Carter semblent incompréhensibles pour le commun des mortels (et surtout pour O'Neill), mais en réalité quand on écoute bien, les fondements scientifiques sont assez solides.

D'autre part, tout le système de base de l'intrigue est axé sur la théorie de la mécanique quantique : les portes des étoiles, l'E2PZ (qui utilise l'énergie du vide...) etc.

Dans un épisode dans lequel Carter fait un exposé scientifique à des étudiants, on voit clairement sur le tableau derrière elle un diagramme de Feynman....

Franchement il y a un vrai effort de réalisé pour rendre crédible les "inventions" scientifiques de la série à partir de la mécanique quantique (également de la théorie de la relativité, mais cela est moins nouveau...)

Cet "apport" scientifique vient m'a-t-on dit de Brad Wright l'un des deux producteurs exécutifs et scénariste...

Voici ce que dit Amanda Tapping à ce sujet :

« Maintenant, je m'enferme régulièrement dans des bibliothèques scientifiques pour décrypter les dernières trouvailles en astronomie. Ce n'est pas toujours évident à mémoriser, mais c'est indispensable pour mon rôle dans Stargate, car, parfois, je dois enchaîner vingt phrases de bla-bla technique... et j'ai réalisé que tout était plus simple quand on comprenait le script ! »

Quatre styles d'envahisseurs dans SG-1

Animal attack
Cafards voraces venus d'une autre planète via un cercueil (917)
Insectes géants qui transforment leurs victimes en insectes identiques à masses égales (Teal'c est contaminé : 210 "Le Fléau")
Des insectes sont visibles sur Terre à cause de la superposition de deux dimensions (pas dangereux) 613

Maladies / virus
Hathor, une (très jolie) Goa'Uld distille un poison qui rend les hommes totalement soumis à elle (114 "Hathor")
Fléau lancé sur Terre par les Oris

Robotique / bionique
Téléchargement d'une entité informatique dans un hôte, en l'occurrence Samantha Carter. Dans cet épisode l'actrice montre tout son talent de comédienne. (420 "L'entité")
Eau capable de s'infiltrer dans un hôte (701)
Organisme de l'orbe.
Réplicateurs : des organismes "métalliques" intelligents qui se reproduisent à grande vitesse en assimilant toute matière et savent répliquer d'autres créatures, par exemple les humains. Plusieurs épisodes sont consacrés à ces individus peu recommandables et même Carter va se trouver répliquée, et son double "RépliCarter" va être à l'origine d'une tentative d'invasion de la Terre via le SG-C. On apprend comment sont nés les Réplicateurs dans l'épisode 519 "Invasion".
Cristaux bleus : du coup O'Neill est dédoublé. Une bonne occasion pour présenter le personnage et ses problèmes personnels. (107)

Espèces intelligentes
Les Goa'ulds : ce sont des parasites intelligents qui infectent des hôtes, d'abord les Unas (des espèces de monstres sauvages) qui sont originaires de la même planète que les Goa'Ulds, et ensuite des humains. Ils ont une forme de serpent et pénètrent dans l'organisme de l'hôte pour le dominer complètement. Ce sont eux qui ont utilisé les portes des étoiles (fabriquées par les "Anciens") pour déporter les peuples de la Terre sur d'autres planètes dans notre Galaxie. Les deux épisodes 120 "Dans le nid du serpent" et 201 "La Morsure du serpent"

racontent la tentative de destruction de la Terre par Apophis un maître Goa'Uld. Bien d'autres épisodes sont consacrés aux tentatives de divers maîtres Goa'uld d'envahir la Terre. Il y a aussi des gentils Goa'Ulds : les To'Kras. Ils ont organisé la résistance contre les grands maîtres Goa'Ulds. Samantha Carter a été infectée par Jolinar, un To'Kra. Ces To'Kras n'infectent que les hôtes consentants, par exemple le père de Carter qui est mourant et qui, ainsi, pourra guérir de son cancer grâce à son symbiote…

Des Aliens pouvant prendre forme humaine se sont infiltrés au SG-C : SG-1 se voit remplacé par leurs doubles Aliens (314 "Invasion")

Les Oris apparaissent en fin de la série. En effet, les Goa'ulds étant quasiment éradiqués (il ne reste plus qu'un survivant : Ba'al, les scénaristes ont dû inventer un nouvel adversaire. Les Oris sont une fraction des "Anciens", ces êtres humains ultra évolués qui ont créé les portes des étoiles et qui ont abandonné tout intérêt matériel jusqu'à perdre eux-mêmes leur matérialité par ce qu'ils appellent l'ascension, au cours de laquelle ils se transforment en pure énergie intelligente. Alors que les anciens fidèles à leur philosophie se sont interdit d'intervenir dans le monde matériel, les Oris se prennent pour des dieux et imposent leur religion aux humains. Il y a une invasion Ori dans l'épisode 915. On retrouve les Oris dans le film qui a suivi la fin de la dixième saison de SG-1 : *Stargate SG-1 the Ark of Truth*… (Voir critique ci-dessous)

Les Esprits (211). SG-1 rencontre sur une planète un peuple qui développe la même tradition que les Amérindiens, notamment en ce qui concerne leur lien avec dame Nature. Ils font confiance aux Esprits pour régler tous leurs problèmes. En réalité ces Esprits sont des Aliens qui savent prendre la forme des animaux et même des humains. Ils tentent d'envahir le SG-C, car ce dernier a fait des erreurs concernant le peuple d'Indiens de cette planète.

"Faux amis" : les Aschens. Deux épisodes sont consacrés à ce peuple qui tente de liquider les Terriens par stérilisation. L'épisode "2010" (416) au cours duquel nous nous trouvons en 2010 alors que la Terre s'est soumise aux Aschens et "2001" "Les Faux amis" (510) au cours duquel, malgré l'avertissement reçu dans l'épisode 416, la Terre prépare un accord avec les Achens, sous la pression de l'ignoble Sénateur

Kinsey.
Les Reetous sont des Aliens invisibles persécutés par les Gao'Ulds, et dont une fraction a décidé de liquider l'espèce humaine pour que les Goa'ulds n'aient plus d'hôtes. Ainsi le SG-C accueille une maman invisible d'un enfant joué par le même acteur que celui qui joue l'enfant à moitié Alien de X-Files. (220) On retrouvera le même thème dans Stargate Atlantis, les Réplicateurs en guerre contre les Wraiths (grâce à une programmation réalisée par Rodney Mac Kay), ont décidé d'exterminer la race humaine, car elle sert de nourriture aux Wraiths.

Les films

Stargate SG-1 The Ark of Truth (L'Arche de vérité)
Réalisateur/scénariste : Robert C. Cooper

Le voilà enfin le film tant attendu après la fin de la dixième et dernière saison de *Stargate SG-1* ! Il est vrai qu'on se console assez bien avec le Spin Off *Stargate Atlantis*, d'autant plus que la 4e saison a vu l'arrivée de Samantha Carter. Mais revenons à *The Ark of Truth*.
Le 19e épisode de la 10e saison[1] de Stargate SG-1 nous avait laissés sur notre faim: Adria (la fille de Vala, Dieu faite femme par la grâce des Oris) avait fait son ascension et on n'a pas pu savoir si les Oris avaient été détruits. Quant au Gao'Uld Ba'al, le dernier de sa race, on ne sait pas non plus s'il encore vivant. Ce film est donc la suite qui traite des Oris. On verra dans quelques semaines l'autre film qui traite de ce que Ba'al est devenu (*Stargate SG-1 : Continuum*)
The Ark of Truth commence sur la planète des Alterans : ces derniers vont quitter la planète après une discussion hautement philosophique et éthique sur l'utilisation ou non de l'Arche contre leurs frères ennemis les Oris. Ce genre de débat philosophique est bien la marque de fabrique de la série. Ils décident de ne pas l'utiliser. Et quittent la planète qui s'appelle Dakara. On passe immédiatement sur un gros plan

---
[1] Le 20e épisode raconte comment SG-1 est prisonnier d'une faille de l'espace temps…

de Daniel Jackson qui vient de déterrer un artefact qui peut être cette Arche de vérité qui a le pouvoir de faire croire ce qu'elle est programmée à faire croire. Les Oris semblent avoir été détruits, mais ils ont laissé derrière eux leurs armées et leurs prêcheurs complètement endoctrinés. Les Terriens eux n'ont pas les mêmes soucis éthiques : ces armées sont prêtes à emprunter la super porte de leur galaxie pour envahir la terre et l'Arche pourrait servir à "désendoctriner" ce beau monde.

Donc ils ont trouvé cet artefact. Mais il s'avérera que ce n'est pas l'Arche et ils sont attaqués par des soldats Oris dirigés par Tomin, le mari de Vala (oui, pour bien suivre il faut connaître un peu la série[2], mais ce n'est pas nécessaire). Ils mènent une enquête qui les amène à chercher l'Ortus Mallus du livre des Origines, car les Oris voyaient l'Arche comme le Mal incarné, bien sûr. Sur le plan éthique on assiste à une discussion intéressante entre Tomin et Teal'c, autrefois esclaves de dictateurs sanglants, à propos leur culpabilité vis-à-vis des horreurs qu'ils ont alors commises.

Les scénaristes n'aiment pas les politiciens et ils en infligent un autre à SG-1, un type chargé de faire un audit sur l'activité de SG-1 pour la CIS (commission internationale de surveillance). Ce type va faire dégénérer la mission de SG-1 qui a emprunté l'Odyssée pour se rendre sur Dakara. Ils devront affronter divers ennemis, dont les réplicateurs, ces innombrables petits crabes d'acier qui envahissent l'Odyssée.

Quelle action, quel suspens, quel Space Opera ! Quel courage et quelle détermination de Mitchell, Carter[3], Jackson, Teal'c et Vala !

Pour les fans de la série, c'est le fun comme on dit, et pour les autres aussi d'ailleurs.

À la fin, Carter offre des macarons à Mitchell, confectionnés selon la recette de la grand-mère de ce dernier. C'est une allusion à la fin de l'épisode 1012 "La Grande Illusion" quand Mitchell lui amène des macarons alors qu'elle se remet d'une terrible blessure.

---

[2] Voir le site officiel de la série : http://stargate.mgm.com/. Les sites français : http://www.anneau-des-dieux.com/ et http://www.stargate-fusion.com/

[3] La jolie Amanda Tapping a les cheveux longs et joue un peu plus décontractée.

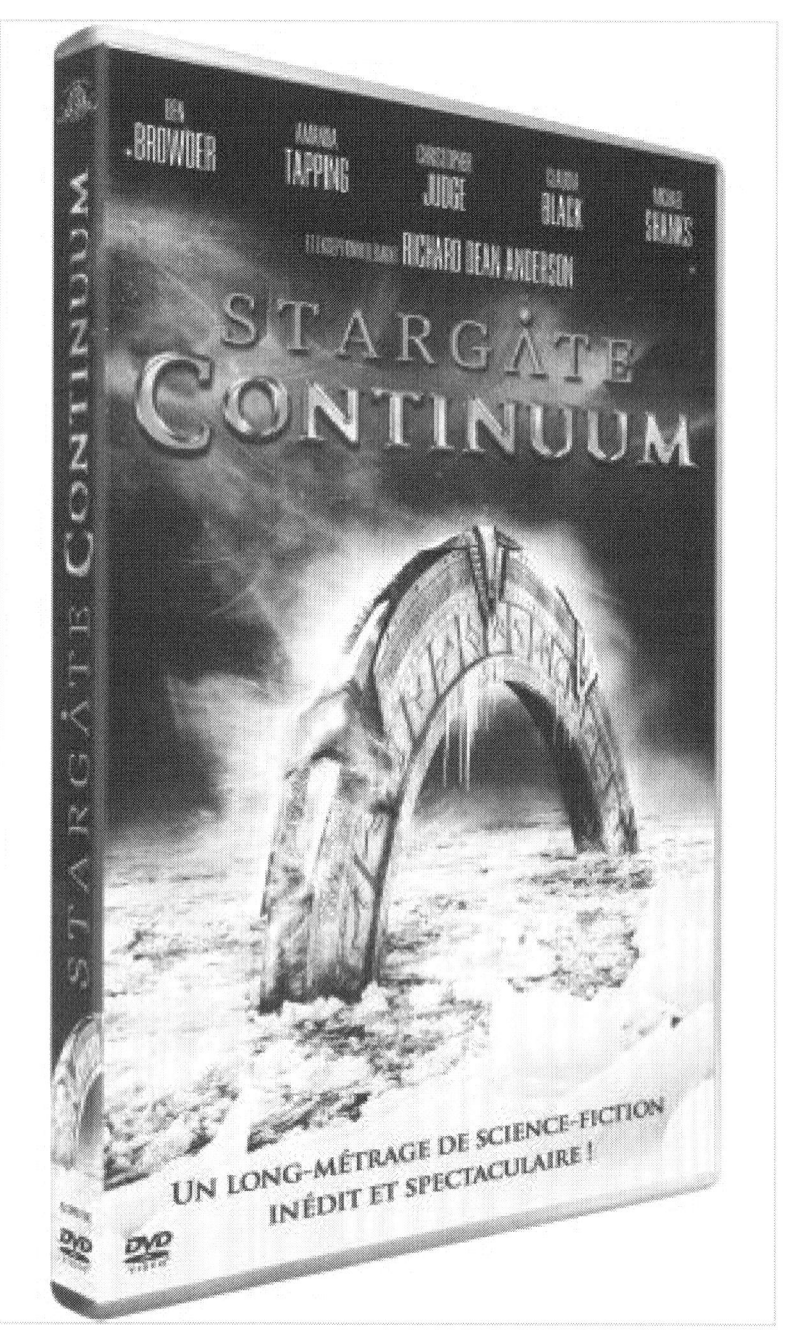

Stargate Continuum
de Martin Wood (2007) Scénario Brad Wright

On est de suite dans l'ambiance au SG-C : les quatre de SG-1 (dont les deux colonels) marchent dans les couloirs en tenue militaire couleur sable. Ils se rendent vers la porte des étoiles. L'ineffable Vala arrive évidemment en retard. Heureusement, ce personnage va vite disparaître… L'actrice va jouer le rôle du Goa'uld que Vala fut autrefois. SG-1 se rend sur la planète To'kra pour assister à l'extraction du parasite Goa'uld de Ba'al. Sur place ils retrouvent Jack O'Neill. La scène des derniers moments de Ba'al est stressante : tout est fait par le réalisateur pour suggérer que ce ne sera pas la fin du Goa'uld ! Il VA se passer quelque chose…
Puis, alors que Vala et Teal'c disparaissent mystérieusement, on nous emmène en 1939 dans un cargo qui navigue sur l'Atlantique nord. Il transporte une mystérieuse cargaison dont on va deviner la nature en entendant le bruit qu'elle fait soudain.
Tout cela est excellemment filmé.
Il se passe donc de drôles de choses sur la planète To'kra où doit se dérouler l'exécution du parasite Goa'uld de Ba'al : après les disparitions de Vala et Teal'c, Ba'al tue Jack o'Neill avant d'être tué et les trois rescapés (Cameron, Carter et Jackson) reprennent la porte des étoiles pour arriver… sur le bateau dont je viens de vous parler plus haut !
Une de ces histoires de réalités parallèles, de paradoxe temporel, toujours si bien traitées dans la série.
Nos trois amis devront donc régler ce "paradoxe", contre Ba'al et sa compagne (la Vala infectée par son Goa'uld) et contre les autorités de la Terre de cette nouvelle réalité.
Ce deuxième film est à la hauteur de la série et du film précédent. Le scénario reprend tous les thèmes de la série avec une très belle réalisation.

Stargate SG-1 : les épisodes [4]

0101 : Le Pilote : Les Enfants des Dieux

La porte des étoiles s'est endormie dans sa base souterraine jusqu'à ce qu'un jour elle s'ouvre et une équipe de guerriers Jaffa s'introduisent dans la base avec leur dieu Apophis. Ils enlèvent une jeune soldat qui participait à la garde de l'artefact.

Le général de l'armée de l'air Hammond contacte le colonel O'Neill qui s'était rendu sur la planète de Ra dans le film Stargate. Une équipe est constituée avec le capitaine Samantha Carter. Ils se rendent sur Abydos en empruntant la porte des étoiles. Ils y retrouvent Jackson. Ce dernier et Carter découvrent alors qu'il y a des milliers de portes des étoiles.

L'équipe constate que Apophis (du nom d'un dieu égyptien) est un humain porteur d'un symbiote parasite, un Goa'uld, une espèce de serpent évolué qui domine son hôte. Nous verrons dans un prochain épisode comment cette espèce est née et a évolué.

Le docteur Jackson a épousé une très jolie brunette – Sha're – et cette dernière est enlevée par Apophis à la recherche d'un hôte pour sa "fiancée" Goa'uld. Sha're est donc infestée par un de ces serpents surdoués.

C'est sur Abydos qu'ils recrutent Teal'c, alors Prima d'Apophis (le chef de ses guerriers) qui doute que son maître soit un dieu. Il se révolte contre lui et rejoint la Terre avec ses nouveaux amis.

L'équipe SG-1 est donc constituée : O'Neill, Carter, Jackson et Teal'c. Apophis court toujours et pour longtemps : les scénaristes en auront encore besoin ainsi que de Sha're devenue Goa'uld.

---

[4] Les titres des épisodes excellents sont soulignés.

Saison 1 Le plan de Table

0102 : L'ennemi intérieur (The Enemy Within)
Kavinlski, l'un des officiers de l'expédition sur Abydos semble avoir un problème : évidemment puisqu'à la fin du Pilote on avait compris qu'il avait été infesté par un Goa'uld.
Il faut intégrer Teal'c qui fait un exposé sur les Goa'ulds et la légende de la Tauri (la Terre). Toute la galaxie est peuplée par les anciens habitants de la Terre. On apprend en détail et en images comment fonctionne le parasite et il faudra s'habituer à l'humour un peu con d'O'Neill. Le procédé d'exécution du Goa'uld est original et la scène de l'opération de Kavinlski pour extraire le Goa'uld est très longue.
Cette fois l'équipe au complet part en mission…

0103 Émancipation (Emansipation)
Carter transformée en fille de harem… enlevée par un gamin haut comme trois pommes et fin comme du fil de fer…
N'importe quoi.
« Un problème de choc culturel » comme dit Jackson.

0104 La Théorie de Broca (The Broca Divide)
Il y a l'ombre et la lumière. Dans le noir des primitifs assoiffés de sang. Dans la lumière une civilisation raffinée formée par les "non atteints". Les "atteints" sont en réalité des malades infectés par un virus (il y a souvent des virus dans cette série vous allez voir…), et ce dernier va infecter les membres de SG-1.
La théorie de Broca ? « Pierre Paul Broca est un anthropologiste du siècle dernier », explique Carter. « Il a découvert l'importance de la troisième circonvolution gauche du cerveau dans l'acquisition du langage qui a permis le développement de l'humanité. »
La scène d'anthologie est celle où Carter, complètement dégénérée par ce virus tente de violer O'Neill ! Et… quand O'Neil est lui-même infecté, il manifeste une violente jalousie envers Jackson quand celui-ci dit qu'il va aller voir Carter à l'infirmerie… Et, quand tout le monde est guéri, O'Neill évoque auprès de Carter ce « ravissant T shirt qui laisse apparaître votre nombril »…

0105 Le Premier commandement (The First Commandment)
Cet épisode commence de manière ultra violente avec des relents de vieux films coloniaux, mais…
Jackson persiste dans la niaiserie et cela va durer dans de nombreux épisodes. Un capitaine de l'armée US se prend pour un dieu sur cette planète qui n'a pas de couche d'ozone pour se protéger des rayons ultra-violets et tout le monde a la gueule brûlée. Carter fait preuve d'un grand courage. Elle a fréquenté autrefois ce capitaine… Son manque de courage pour tirer est assez décalé. Une erreur du scénariste qui est rattrapée à la fin quand O'Neill justifie cette hésitation à Carter qui se sent coupable.
On est encore à l'époque de la série où on veut à tout prix montrer les faiblesses de Carter… Agaçant.
Ce scénario est inspiré de celui du film "Apocalypse Now"

0106 Double (Gold Lazerus)
Une planète avec du sable et un soleil éclatant. Dans le sable des gros cristaux bleus. O'Neill plonge son regard dans le seul cristal qui semble être resté entier. Et son double apparaît et prend sa place.
Un épisode qui approfondit le personnage d'O'Neill, le problème de la mort de son fils, sa culpabilité…
Teal'c part dans notre monde en emportant son arme. Hammond lui ordonne de la laisser. Or Teal'c a regardé les infos à la télé et cela l'a terrifié. Il répond : « J'ai vu votre monde et je vais en avoir besoin ».

0107 Les Nox (The Nox)
Un épisode à la gloire des hippies dont l'idéologie semble plaire aux scénaristes. Comme quoi le fait que nos héros soient des militaires n'indique absolument pas que les auteurs soient militaristes…
Carter explique le fonctionnement de la porte des étoiles à un ministre qui remet en cause l'intérêt du programme Stargate. Ce débat va être récurrent tout au long de la série.
Teal'c parle de la quête d'une créature invisible. Ils vont donc la chercher. Ils vont faire connaissance avec les Nox une des cinq races de la galaxie. Il y a aussi Apophis et ses Jaffas.

C'est le premier épisode où les membres de SG-1 meurent tous pour être ressuscités par les Nox.
SG-1 persiste à protéger les Nox qui, en fait, n'en ont absolument pas besoin.
« Vous apprendrez peut-être un jour que votre façon n'est pas la seule façon », leur dit le Nox.

0108 Les Désignés (Brief Candle)

On continue dans l'anthropologie.
Ça commence par un accouchement opéré par Jackson qui sait tout faire. Un peuple composé uniquement de jeunes hommes et femmes, sans enfants. O'Neill se fait draguer par une belle brune et infecter par… un virus qui le vieillit prématurément. En fait ce n'est pas un virus, mais des nanites qui sont téléguidés par un engin placé sous une statue du dieu local. Voici donc nos premiers nanites (des nano machines qui infectent le sang).

0109 Le Marteau de Thor (Thor's Hammer)
Un peu de mythologie nordique et l'entrée en scène de ce qui sera les Asgards, une autre des cinq races de la galaxie.
Jackson explique la mythologie de Thor et lui trouve une explication scientifique (c'est ce qui est le plus plaisant chez lui dans la série). Teal'c confirme que le signe du marteau est le symbole d'un monde nommé Cimmeria qui extermine les Goa'ulds. Ce dernier point ne peut qu'exciter nos amis de SG-1.
Enfin un peu d'action, des Aliens et même un monstre. Enfin, presque un monstre : un Unas[5], le premier. Il y a même une sorcière, enfin quelqu'un qui aurait été considéré comme tel au Moyen Âge chez nous… Elle est conseillée par les Valkyries qui chevauchent le vent. Et un gros cas de conscience, surtout pour Jackson qui aurait bien aimé pouvoir récupérer sa femme Share mais qui ne le pourra pas…

0110 Le Supplice de Tantale (The Thorment of Tantalus)

---

[5] Les Unas sont originaires de la même planète que les Goa'ulds. On verra cela dans un prochain épisode consacré aux Unas.

La première fois qu'ils ont ouvert la porte des étoiles en 1945, ils ont envoyé un type dans un scaphandre attaché à une ficelle et crac ! la ficelle a cassé et plus de nouvelles du type. Jackson voit cela dans un film trouvé dans les archives. SG-1 va trouver l'adresse de destination et y aller. Ils se font accompagner de la fiancée du type qui a disparu, cette femme est la scientifique Catherine Langford, copine de Jackson dans le pilote. Son fiancé jeune est joué par l'acteur qui jouera le docteur Carson Beckett dans Stargate Atlantis (Paul Mac Gillion). On apprend dans cet épisode que les Goa'ulds ne sont pas les créateurs de portes des étoiles.

0111 Retour sur Chulak (Bloodline)
Une histoire de Jaffas comme je ne les aime pas.
Mais enfin il fallait bien faire apparaître un personnage récurrent : Bra'Tac, le maître d'armes de Teal'c. Une réflexion sur la trahison, problème qui minera toujours Teal'c. Quant au personnage du fils de Teal'c, nommé Rya'c est vraiment raté et le très mauvais jeu de l'acteur ne le sauvera jamais.

0112 Le Feu et l'eau (Fire and Water)
Jackson passe pour mort. Il est prisonnier par un alien sous l'eau. Carter pleurniche beaucoup (les scénaristes n'ont pas encore bien saisi la nature du personnage et ça va encore durer quelques épisodes). Comme il est prisonnier longtemps la barbe de Jackson a poussé, mais quand il sort de l'eau, libéré, il est rasé de près !

0113 Hathor (Hathor)
Une ancienne déesse égyptienne Hathor (un Goa'ukd comme tous les dieux égyptiens…) revient à la vie s'introduit au SG-C (Star Gate Commandement) et y sème la panique, car elle met tous les hommes à ses pieds. Heureusement que Carter et là avec la délicieuse Frasier (dans l'épisode précédent elles se tutoyaient ici elles se vouvoient : problème du traducteur).
On assiste à la première transformation d'O'Neill. Il est transformé en Jaffa par Hathor.

0114 Cassandra (Singularity)
Ils vont sur une planète pour observer un trou noir. Un délice pour Carter. On nous rappelle qu'O'Neill a un télescope chez lui. Sur cette planète tous les habitants sont morts d'une épidémie, sauf une : une petite fille, Cassandra.
Ils la ramènent au SG-C (vraiment ils ne sont pas prudents !) et ils s'aperçoivent qu'elle a une bombe greffée dans la poitrine. Toute cette opération est montée par le Goa'uld Niirti (une femme). La scène où Carter se sacrifie pour ne pas quitter Cassandra est sublime.

0115 Le Procès (The Cor Al)
Sur un monde appelé Kartago (selon Teal'c) ils se font faire prisonnier, Teal'c est reconnu comme Prima d'Apohpis est jugé pour le meurtre du père du chef du village.

0116 Les Réfugiés (Enigma)
SG-1 sauve quelques membres du peuple d'une planète quasiment détruite par des éruptions volcaniques. Mais ces gens n'en demandaient pas tant. Leur chef est joué par l'acteur qui a joué le cobaye fumeur dans un épisode de la 7e saison de X-Files (Nicotine).
Ces gens sont des Tollans. Carter rencontre son premier amoureux de la série (à part O'Neill bien sûr) c'est un Tollan nommé Narim qu'on reverra plus tard. Elle lui offre un chat qu'elle a appelé Schrödinger, du nom du célèbre physicien quantique auteur de la non moins célèbre équation et du paradoxe du chat qui a porté son nom. C'est l'épisode où apparaît pour la première fois Maybourne le méchant, qui deviendra petit à petit gentil dans la série. D'ailleurs à part le sénateur Kinsey, tout le monde devient plus ou moins gentil dans cette série. Les Tollans seront sauvés grâce aux Nox. Ils ont de la chance d'avoir un ciel étoilé pour envoyer leur rayon jusqu'à la planète de ces derniers.

0117 Portés disparus (Solitudes)
O'Neill et Carter font une escapade amoureuse involontaire alors que Teal'c et Jackson sont revenus au SG-C. Les deux amoureux se retrouvent dans un environnement glacé. C'est l'épisode où on découvre une deuxième porte des étoiles en Antarctique, porte qui va

avoir à plusieurs reprises une importance considérable dans les saisons qui suivent. Carter réchauffe O'Neill gravement blessé avec son corps. Ensuite elle fait preuve d'un grand courage. Finies les chochotteries. La situation semble désespérée...

0118 Les Doubles robotiques (Tin Man)
P3X989 : SG-1 débarque dans un hangar. Sur Altaïr, Harlan, le dernier survivant a fabriqué des doubles des membres de SG-1. Bien sûr ces derniers ne savent pas qu'ils sont des doubles. Et ces doubles retournent au SG-C ! et seront obligés de revenir. Une fable sur la vieillesse (la deuxième déjà à ce stade de la série) et la dégénérescence des corps. C'est également le deuxième épisode où O'Neill a un double. Et le premier pour carter qui en connaîtra un autre. On reverra Harlan et les doubles de SG-1 dans un autre épisode.

0119 Une Dimension trop réelle (There but for the Grace or God)
Une planète pleine d'artefacts dont une espèce de miroir que Jackson met en "marche" involontairement avec une espèce de télécommande. Un "miroir quantique" diront-ils plus tard. Et hop ! le voilà transporté dans une autre dimension. Dans cet autre monde, un vaisseau Goa'uld atterrit sur la montagne du SG-C et les Jaffas s'introduisent dans la base souterraine. Ici une porte des étoiles ne peut rester ouverte que 30 minutes (contre 38 sur notre monde), les Goa'ulds sont en passe de détruire l'humanité et Carter est fiancée à O'Neill. Superbe épisode.

0120 Décision politique (Politics)
Les scénaristes n'aiment pas les politiciens. Les épisodes où apparaît le sénateur Kinsey sont insupportables. Quel sadisme oblige les scénaristes à nous infliger cela ?

0121 Dans le Nid du serpent (Winthin the Serpent's Grasp)
Au sein des lignes ennemies. Ils récupèrent des Zat (on verra souvent cette arme qui paralyse la cible dans d'atroces souffrances au premier tir, la tue au second et la désintègre au troisième). On verra désormais ces zat à tous les épisodes pratiquement. Excellent. Ils sont à bord d'un vaisseau de transport de troupes Goa'uld. Ce qui s'est produit dans

l'épisode précédent dans une autre dimension risque de se produire chez nous. Ils rencontrent Skaara dans ce vaisseau, le jeune homme infesté par un Goa'uld par Apophis dans le Pilote de la série. À suivre.

Saison 2 Les Goa'ulds dans toute leur splendeur

0201 La Morsure du serpent (The Serpent' Lair)
Suite de l'épisode précédent. SG-1 est dans le vaisseau de Skaara (infesté par un Goa'uld dont je ne me souviens plus du nom) et hésitent à le faire sauter avec du C4, car le vaisseau d'Apophis les a rejoints en orbite autour de la Terre. Et devinez qui est là ? Bra'tac (quand j'oublie l'apostrophe dans les noms Jaffa vous me pardonnez hein ?). Heureusement, car SG1 a été fait prisonnier (comme cela va leur arriver bien des fois à l'avenir). Jackson va profiter une deuxième fois du sarcophage Goa'uld (après le Pilote) et encore dans d'autres épisodes : un abonné ainsi qu'O'Neill. Mais revenons à cet épisode. Au SG-C, ils ignorent que SG-1 est dans ce vaisseau et s'apprêtent à envoyer des missiles. Excellent épisode : surtout la fin.

0202 La Tête à l'envers (In the Line of Dirty)
Ça commence par une violente bataille et... l'infection de Carter par un Goa'uld. ! (ça lui arrivera encore une fois dans un lointain épisode). La planète Nasya a fait l'objet d'une attaque massive des Goa'ulds sans que l'on sache pourquoi. L'explication se trouve dans le Goa'uld qui a infesté Carter. Ce Goa'uld est un gentil, c'est un To'Kra. Les To'Kras sont des résistants aux Goa'ulds qui se font passer pour des dieux. Les scénaristes ne sauront jamais vraiment comment assurer un avenir à cette nouvelle espèce... Bref, ce gentil To'Kra nommé Jolinar de Malkshur/Rosha est menacé de mort par un tueur à gages envoyé par un Goa'uld. Il demande qu'on le laisse partir afin qu'il trouve un nouvel hôte afin de libérer Carter. Mais le SG-C se méfie. O'Neil est très affecté par l'état de Carter parasitée. Une scène entre lui et Teal'c, à propos de Carter, est très émouvante. On entendra encore beaucoup parler de Jolinar dans de futurs épisodes.

0203 Prisonniers (Prisoners)
Ils sont prisonniers de Taldor (la justice) à perpétuité. Ils demandent l'aide de Linéa pour s'évader. On saura à la fin que Linéa n'est pas

recommandable : on l'appelle la tueuse de mondes. On la reverra dans de prochains épisodes.

0204 Le Maître du jeu (The Gamekeeper)
P7J989. Tous les membres de SG-1 sont "attrapés dans des espèces de sièges où ils sont connectés à des tuyaux et s'endorment. O'Neill et Jackson (pourquoi pas les autres me demandez-vous ? Eh bien je n'en sais rien...) revivent des épisodes douloureux de leur vie. Cette scène dramatique se reproduit à l'infini. Carter est très jolie en civil. (Ces archéologues qui se mettent sous des charges portées par une grue sont stupides). On a le plaisir de revoir Kawalsky.

0205 Princesse Shyla (Need)
Quel nul ce Jackson! Une bien belle fille tente de se suicider et évidemment Jackson est là pour l'en empêcher. C'est la princesse Shyla. La niaiserie de ce Jackson est consternante. Ces scénaristes maltraitent trop ce personnage. Et Jackson est de nouveau ressuscité dans un sarcophage Goa'uld, et il y retourne souvent et cela lui retourne l'esprit ! Quelle mascarade cet épisode.

0206 L'œil de pierre (Thor's Chariot)
Cimmeria est attaquée par les Goa'ulds, car elle n'est plus protégée par Thor à cause de SG-1 (voir 0109 "Le Marteau de Thor"). Un hatak (vaisseau pyramide) Goa'uld : Carter sait faire fonctionner la technologie Goa'uld, car elle a du naquadah dans le sang à cause de Jolinar qui l'avait infectée. SG-1 se sent obligé de donner un coup de main à Cimmeria, mais faudra passer des épreuves et on va faire la connaissance de Thor en vrai Asgard (un petit extraterrestre gris) et désormais on le reverra souvent dire qu'il ne peut pas faire grand chose pour la Terre...

0207 Message dans une bouteille (Message in a Bottle)
Ils se promènent en scaphandre sur un astre semblable à notre Lune. Teal'c pense que c'est la planète Tal Lak. Ils y trouvent une petite sphère métallique qui émet de l'énergie. "Un message dans une bouteille" explique Jackson. Avec leur imprudence coutumière ils

l'emmènent au SG-C. Mais que deviendrait la série s'ils étaient prudents, hein ? Sur place cette "bouteille" sort des appendices métalliques et cloue au mur O'Neill par l'épaule le conservant vivant. C'est la catastrophe : un micro-organisme envahit la base.
Pour gérer cette crise, ils changent d'avis tout le temps. Mais Carter est là ! Et il faudra négocier avec l'entité…
Un jeune lieutenant est amoureux de Carter. On le comprend…

0208 Conseil de famille (Family)

Brata'c arrive au SG-C. Une histoire avec le fils de Teal'c, Rya'c. Apophis n'est pas mort (increvable celui-là !) Il a enlevé le fiston. Teal'c retourne sur Chulak avec SG-1 et retrouve sa femme mariée avec un autre. Heureusement qu'O'Neill est vigilant et pas naïf. L'acteur qui joue Rya'c est nul, les scènes entre lui et son père sont très mauvaises. Tous les épisodes mettant en scène le personnage de Rya'c resteront nuls comme celui-ci.

0209 Secrets (Idem)
Retour sur Abydos sans Sha're, la femme de Daniel Jackson. Elle est sur place à Abydos. Et enceinte ! Le fils d'Apophis qui devra devenir un jour son nouvel hôte. Michael Shanks n'est pas très bon dans cet épisode comme dans beaucoup d'autres. En attendant, Carter et o'Neill sont au Capitole et Carter retrouve son père. O'Neill est harcelé par un journaliste impudent (dont l'acteur joue un autre rôle dans la série X-Files).
Un coup d'œil de Sha're restera plein de significations…

0210 Le Fléau (Bane)
Drôle de planète. Une ville fantôme à la technologie très avancée. Un énorme insecte qui attaque Teal'c et le pique à la nuque. Teal'c se transforme petit à petit en nymphes…La Terre est de nouveau en danger. Pas très exaltant comme épisode.

<u>0211 Les Esprits (Spirits)</u>

Planète PXY887 : on y cherche du trinium. L'équipe SG-11 a disparu. Elle finit par revenir... Enfin non ! Une flèche blesse O'Neill.
Ici on est en plein dans les mythes indiens : l'harmonie avec la nature. SG-1 sans O'Neill repart vers la planète pour porter secours à SG-11. Et Carter parle à un loup.
Les "esprits" sont des extraterrestres pas très appétissants. Très joli épisode.

0212 et 0213 La To'kra 1 et 2 (The To'kra)
Les voilà enfin ces To'kra !On en avait connu un : celui qui avait investi le corps de carter. Les To'kras sont les résistants aux Goa'ulds. Carter part en mission avec beaucoup de scrupules de laisser son père mourant.
O'Neill cite le Magicien d'Oz. Carter rencontre Martouf. Elle est très bien filmée, jolie avec ses yeux clairs sous la visière de sa casquette. Teal'c apporte des explications : To'kra signifie "contre Ra"... Les To'kra ne prennent que des hôtes consentants. O'Neill fait une crise de jalousie quand Martouf invite Carter à faire une promenade en privé. Martouf était le compagnon de Jolinar, le To'kra qui avait investi Carter. Quand Martouf décrit l'hôte de Jolinar, il décrit en fait... Carter. Une déclaration d'amour unique dans l'histoire de la SF.
L'hôte de Selmak est mourant. Il faut trouver un nouvel hôte.
Ces deux épisodes posent la question des relations entre deux races différentes et opposées. Les To'kra sont ulcérés par le dégoût des humains pour les symbiotes. C'est toujours émouvant quand quelqu'un apprend l'existence de la porte des étoiles.
Excellents épisodes…

0214 La Clef de voûte (Touchstone)
Sur la planète Madrona les habitants maîtrisent le climat.
Il faut éclaircir ce phénomène, comprendre l'appareil de régulation du climat : la clef de voûte. Mais celle-ci a disparu, elle a été volée par une équipe de Terriens. Cap sur la zone 51 pour récupérer cet objet.
O'Neill commence à griser des tempes…

0215 Une question de temps (A Matter of Time)

Des soleils, des planètes, un trou noir et des soldats US qui courent dans le sable. Puis Carter explique le fonctionnement des portes : elles ouvrent des "trous de ver" (un concept de la relativité et de la mécanique quantique). L'équipe SG-10 est prise dans le piège d'un trou noir qui dilate le temps à cause de l'extrême gravité. Cette dernière empêche la porte de se refermer. Le temps se déroule plus lentement au SG-C. Il n'y a que Carter pour les sortir de là ! Néanmoins, si ça continue, la Terre va se faire aspirer par le trou noir via la porte des étoiles. Il y a un gros débat sur les actions à mener. Mais où est donc passé Daniel Jackson ?
« Elle est bien plus futée que nous », déclare O'Neill à propos de Carter.

0216 La Cinquième race (The fifth Race)
Sur une planète ils se retrouvent dans un lieu clos. O'Neill regarde dans un truc et se fait prendre la tête. Faut pas mettre sa tête n'importe où. O'Neill est de plus en plus gris de cheveux. À part ça il ne semble pas être sorti indemne de son serrement de tête.
Il a été intronisé dans la science des Anciens, ceux qui ont créé les portes des étoiles.
Cet épisode est un des épisodes centraux de la série. Pour aider O'Neill, Carter et Teal'c sont partis sur une planète qui devient une fournaise. O'Neil/Ancien a programmé une ouverture de porte : il y va et tombe sur les Asgards.
Les cinq races : Asgards – Nox – Furling – Anciens – Humains (la cinquième)

0217 La Colère des dieux (Serpent's Song)
Apophis chez les Tauris.
Ils ont rendez-vous avec les To'kra mais ils trouvent Apophis en mauvaise posture. Sous les attaques des chasseurs Goa'ulds ils ramènent Apophis au SG-C. C'est prudent ça ?
Il nous ferait presque pitié cet Apophis ! Apophis a été victime de Sokar. Jackson fait le lien entre ce dernier – un Goa'uld) et un dieu égyptien. Jackson et Apophis dialoguent sur leur point commun : Sha're.

Ils ont la visite de Martouf et deux autres To'kra.
Sokar attaque le SG-C via la Chaapa-ai (la porte des étoiles).
Apophis refuse de parler au Shol'va qui sourit de sa souffrance.

0218 Transfert (Holiday)
Sur une planète SG-1 tombe sur un vieillard (du nom de Machello) qui propose à Jackson de tenir avec lui les manettes d'une machine et ils reçoivent une décharge électrique. Carter explique que cet appareil contient le fichier central de toutes les inventions du vieillard.
Vous n'avez pas compris ? Allons…Jackson se retrouve dans le vieux et vice versa. Un peu con non ? Ils vont chercher l'appareil et quand Teal'c et O'Neill s'en saisissent, malgré les poignées isolantes ajoutées, il y a inversion des personnalités.
Jackson n'est pas marrant dans son état normal, là il est encore plus pénible. Seuls Teal'c et O'Neill sont intéressants dans l'inversion de leurs personnalités.
Un épisode mielleux et débile. Une fois de plus Carter trouve la solution.

0219 Le faux pas (One Falsestep)
Ils arrivent sur PJ2 445, une planète avec des gens tout blancs et muets et des espèces de plantes blanches aussi. Encore de l'ennui en perspective ? Une niaiserie ?
Jackson éternue et les hommes tout blancs tombent comme des mouches. Et voilà qu'O'Neill tombe malade aussi. Il est de très mauvaise humeur et Jackson aussi.
En fait ce n'est pas si mal cet épisode !
Les êtres tout blancs continuent de tomber en pâmoison. Teal'c trouve une espèce de mycélium dans le sol de la planète. Finalement tout est une question de bruit… Et, de nouveau, c'est Carter qui trouve la solution.

0220 L'ennemi invisible (Show and Tell)
Un intrus pénètre au SG-C par la porte des étoiles. C'est un enfant (le même acteur que dans X-Files). Il est venu pour les prévenir. Il parle de

sa mère et où il montre il n'y a rien… Il vient de Ritalia. Les rebelles
Retou menacent la base qui appelle au secours les To'kra.
L'explication scientifique de carter sur l'invisibilité est scabreuse.
Excellent épidose.

0221 1969 (idem)
Les voilà retournés en 1969 !
Quand SG-1 s'en va, le général Hammond remet à Carter un petit billet.
Vous verrez plus tard l'importance de ce billet. Quand ils arrivent à
destination, ils semblent être arrivés à leur point de départ, puis tout se
dissout et ils se retrouvent sous les tuyères d'une fusée Titan sur son pas
de tir !
Ils sont faits prisonniers et ont un débat avec Carter sur les voyages
dans le passé et le "paradoxe du grand-père."
L'interrogatoire d'O'Neill est désopilant.
- Qui vous êtes ?
- Le capitaine James T. Kirk du Starship Enterprise
- Ce n'est pas ce que dit votre plaque d'identification.
- (…)
- Je vais être franc avec vous Bob, je ne m'appelle pas Kirk, mais Skywalker, Luke Skywalker.

Le dialogue le plus surréaliste de la série.
Ils réussissent à s'évader ? Non ce n'est pas une facilité de scénario ?
Au contraire, c'est génial. Ils s'en sortent grâce au billet de Hammond.
Ce genre de scène est géniale.
« Maintenant il faut trouver la porte des étoiles » déclare O'Neill qui est
moins gris de cheveux que dans les épisodes précédents.
Ils sont pris en charge par un couple de hippies. L'homme veut déserter
à cause de la guerre du Vietnam.
Heureusement qu'O'Neill est astronome amateur (on l'avait vu dans le
pilote de la série)
Il a pu vérifier que l'hypothèse de Carter est juste.
Ah ils sont forts ces SG-1 ! Mais on peut se perdre dans les couloirs du
temps.

0222 Après un long sommeil (Out of Mind)

O'Neill se réveille dans un incubateur cryogénique. Il apprend que les trois autres sont morts. Il se retrouve en l'année 2077 dans un SG-C du futur.
Mais il va s'apercevoir de l'intox grâce à une To'kra.
Mais avant il est interrogé et cela nous permet de revoir quelques extraits des épisodes précédents. On apprend qu'Apophis n'est pas mort. On revoit également d'autres extraits avec Carter et Jackson. Teal'c est retrouvé et emmené au SG-C.
Il y a une petite scène entre O'Neill et Carter l'un contre l'autre…
À suivre…

Saison 3 Explorations et invasions

0301 Dans l'antre des Goa'ulds (Into the Fire)
Suite du précédent.
Athor, la belle, menace les trois de SG-1 de les infecter par un Goa'uld. Teal'c, lui, est parti.
Le "sergent" qui compte les chevrons est de retour. Il était absent la saison précédente. Sans doute avait-il été réclamé par les fans.
Le SG-C est informé par la To'kra du lieu de détention des trois du SG-1.
Plusieurs équipes SG sont envoyées à leur secours. Yeal'c est de retour sur Chulak. Il retrouve Bratak blessé dans sa maison.
O'Neill est infecté par un Goa'uld. La To'kra infiltrée cryogénise alors O'Neill pendant que les SG attaquent. La cryogénisation va tuer le serpent. C'est une dure bataille : enfin de l'action ! Sur Chulak, par contre, on s'ennuie avec les discours de Teal'c. Mais une surprise nous attend… Sacré général Hammond.
Encore une étreinte entre O'Neill et Carter, mais c'est parce qu'ils sont tous les deux fatigués…

0302 Seth (Idem)
Le père de Sam Carter, Jacob, (un To'kra) est venu présenter au SG-1 ce que Jackson appelle « un arbre généalogique de la mythologie ». « À vrai dire, c'est celui des grands maîtres Goa'uld » répond Jacob.
Il est alors question de Setesh ou Sutekh, Set, Seti, Seth… Le mal incarné. Ce Seth n'aurait jamais quitté la Terre et a fondé une religion. Il n'est donc pas si difficile à trouver.
De plus Jacob veut se réconcilier avec son fils Mark, le frère de Sam. On a aussi le droit à une blague Jaffa.
Une fois trouvé Seth, le problème est de l'attraper. Ils imaginent devenir ses disciples. Et une fois de plus c'est Carter qui sauvera la situation.

0303 Diplomatie (Fair game)

Carter est promue au grade de major. Pendant la cérémonie O'Neill est téléporté par les Asgards. Il fait la connaissance de Thor.
Les grands maîtres Goa'uld préparent une attaque de la Terre. Les Asgards proposent de négocier avec ces derniers le classement de la Terre en planète protégée.
Une réunion de Goa'ulds est organisée au SG-C et O'Neill est choisi comme négociateur.
On fait donc connaissance avec quelques Goa'ulds. Cronos : mythologie grecque – Yu : un des premiers empereurs chinois – Niirti qui avait anéanti tous les habitants de la planète P8X-987, sauf un, Cassandra la déesse des ténèbres.
On apprend pourquoi Teal'c s'était enrôlé sous Apophis : ce dernier est l'ennemi de Cronos qui avait tué le père de Teal'c.
Thor évoque un terrible ennemi dans leur galaxie (on verra dans quelques épisodes que ce sont les Réplicateurs)
Ils ne vont quand même pas fermer les portes des étoiles ?
Heureusement que les Goa'ulds ne s'entendent pas entre eux.

0304 Héritage (Legacy)
L'équipe SG-1 visite une crypte dans laquelle gisent des cadavres décomposés de Goa'ulds.
Un groupe qui défie les grands maîtres, semble-t-il… De retour au SG-C Jackson est hanté par les morts. Un psychologue de l'armée vient le consulter. Il diagnostique la schizophrénie.
Dans cet épisode Jackson a les cheveux plus courts, ça lui va mieux.
Il a des hallucinations. Le voilà enfermé dans une cellule capitonnée.
L'acteur est excellent dans cet épisode.
Le SG-C est contaminé par un dispositif anti Goa'uld !
Une fois de plus c'est carter qui va sauver tout le monde avec l'aide du docteur Fraser. Ah ces femmes !
C'était l'héritage de Machello (voir épisode 0218)

0305 Méthodes d'apprentissage (Learning Curve)
Sur la planète Orban ils ont de drôles de méthodes d'apprentissage. Les enfants sont des Urrones. Un épisode de pure anthropologie. Les Urrones sont bourrés de nanocytes. Un petit programme pour éviter

l'apprentissage et tout connaître. Je préfère les épisodes où il y a de l'action.

0306 De l'autre côté du miroir (Point of View)
Sur la zone 51 il y a un miroir quantique. Il s'allume et en sortent une Carter aux cheveux longs et Kawalski (voir le pilote). Ils viennent d'un monde parallèle. Tout cela à cause de la théorie des quantas.
Un épisode avec deux Carter ! Quel délice.
La Sam aux cheveux longs était mariée avec l'O'Neill de son monde, mais il était mort.
Notre univers ne peut supporter deux Carter. Il faut donc retourner là-bas où Apophis porte la barbe et Teal'c n'est pas sympa.
On notera qu'O'Neill se laisse apprivoiser pour consoler la Carter de l'autre monde. O'Neill profite de Carter, mais pas l'inverse pour la Carter de chez nous. C'est injuste non ? On verra ce genre de problème se reproduire dans de futurs épisodes.

0307 Le Chasseur de primes (Deadman's witch)
Le SG-1 rencontre Aris Boch le chasseur de primes. Il aurait mieux valu éviter. Il les fait prisonniers et les emmène dans un vaisseau cargo Goa'uld. Il chasse un Goa'uld. Au fond c'est un brave type.

0308 Les Démons (Demons)
Ils trouvent un village chrétien. Mais comment un Goa'uld a pu laisser faire cela ?
À la vue de SG-1 tous les gens se cachent. Une jeune fille est vouée au sacrifice. Alors qu'ils soignent la fille arrive un Unas (voir 0108) infecté par un Goa'uld. « On s'est trompé sur ce Goa'uld, il ne joue pas à dieu il joue au diable », explique Jackson. Ensuite arrive un prêcheur bien gros. Il a une bague qui fait tomber la foudre du ciel et étourdit SG-1. Faut toujours qu'ils se fassent attraper ceux-là !
À bas le fanatisme !
Teal'c joue à Jésus Christ sans le vouloir… Et puis ils se font de nouveau attraper ! Sale habitude.
« Simon, tu n'as jamais été le dernier à poser des questions… C'est une faiblesse qui peut te faire douter. » Déclare le prêcheur.

0309 Règles de combat (Rules of Engagement)
SG-1 assiste à un combat SG contre Jaffas. Quand ils veulent porter secours aux SG ces derniers leur tirent dessus et les tue !
Ben non, bien sûr, ils ne sont pas morts…

0310 Le Jour sans fin (Forever in a Day)
Daniel retrouve Sha're et Carter tire au bazooka, mais il y a beaucoup de Jaffas. Il n'arrête pas d'en venir… (Dès qu'il est question de Sha're, Shanks, l'acteur qui joue Jackson, n'est pas bon…). Sha're tente de tuer Jackson et Teal'c est obligé de la tuer. Du coup Jackson fait la gueule. Il semble avoir oublié que Sha're était une Goa'uld. Il voit Sha're en rêve. Elle lui demande de retourner au SG-C. De pardonner à Teal'c et de retrouver son enfant. (qui est aussi celui d'Apophis), car c'est un Harsesis. « Il connaît tous les secrets », déclare le beau-père de Jackson. Tout cela est un peu gnangnan…

0311 Le Passé oublié (Past and Present)
Ils ont tout oublié avant le Vorlix. SG-1 doit voir Ke'ra, la ministre de la santé. Cette Ke'ra est jouée par l'actrice qui joue la sœur de Mulder dans X-Files. Le Vorlix s'est produit lorsqu'une certaine Linea est arrivée (voir 0203).Une vieille connaissance : la destructrice de mondes. Une idylle se produit entre Ke'ra et Jackson. Il faut toujours un peu d'amour dans ce monde de brutes. Mais ça va compliquer les choses. Ou peut-être aider à les résoudre…

0312 Voyage dans la mémoire (Jolinar's Memory)
Martouf fait une visite au SG-C accompagné de deux autres To'kra. Jacob est prisonnier de Sokar, le diable en personne. Seule Jolinar a pu s'échapper de Netu, le lieu infernal où est enfermé Jacob/Selmak. Pour aller le délivrer, SG-1 et Martouf utilisent un Teltac, le vaisseau spatial Goa'uld. Un épisode qui nous permet de voir Jolinar en vrai.Et Carter est obligée de voir la nuit passée par Jolinar et Martouf. Ainsi que les tortures subies par Jolinar.
Une fois de plus ils sont faits prisonniers… et ils retrouvent Jacob qui leur apprend que Sokar va prendre le contrôle de la galaxie. Pas bon ! Il

a une drôle de gueule ce Binar, le seigneur de Netu. Et même Apophis est de retour ! À suivre

0314 Invasion (Foothold)
Il y a une fuite de tétrachloréthylène au niveau 23.
Enfin, c'est curieux, de retour de mission, les membres de SG-1 se font faire une piqûre à l'infirmerie et ils perdent connaissance. Et c'est alors que le docteur Fraser déclare : « On peut commencer ! »
Heureusement que Teal'c et Carter sont un peu Goa'uld. Mais… tout cela est-il réel ?
Ou une hallucination due au tétrachloréthylène ?
Quelle idée a eu Carter de téléphone à Maybourne. Mais elle est tenace et ils découvrent le petit bidule qui permet de se transformer en qui on veut (on le reverra plus tard dans un autre épisode). Les Aliens sont assez ignobles d'apparence.

0315 Simulation (Pretense)
Une bataille spatiale avec des vaisseaux Goa'uld. Ça commence bien.
Puis un naufrage et un survivant : Skaara.
Sur SG-C un chat traverse l'Iris : c'est Schrödinger le chat que Carter avait donné à Narim, le Tollan qui était amoureux d'elle (0115). Ils veulent SG-1 pour le procès de Skaara.
La planète des Tollan est le bâtiment qu'on voit dans X-Files et dans Battlestar Galactica.
Skaara est toujours infecté par un Goa'uld, bien sûr. Le Goa'uld (Klorel) ne veut pas quitter Skaara et ce dernier voudrait s'en débarrasser. Le tribunal doit trancher entre les droits de chacun d'entre eux.
Un épisode pseudo juridique sur le droit des Goa'uls d'infecter les humains. C'est la controverse de Valladolid (1550) appliquée aux extraterrestres.
Carter explique à Narim que le fait d'avoir été infestée par Jolinar, elle ne peut pas « avoir de relation avec quiconque tant qu'elle n'est pas absolument sûre des sentiments qu'elle peut ressentir ». Parce qu'une partie de Jolinar reste en elle. Voilà un drôle de raisonnement.

0316 Un étrange compagnon (Urgo)
Les SG-1 partent en empruntant la porte des étoiles et arrivent au… SG-C où le général Hammond dit qu'ils sont partis depuis 15 heures. Ils ont un corps étranger microscopique implanté dans le cerveau. Comment se débarrasser de ces trucs qui créent un personnage irritant qui les accompagne et que les autres ne voient pas ? Faut retourner sur la planète où on leur a fait ça.
Encore une controverse de Valladolid : Urgo est-il un être vivant intelligent ou une machine ?

0317 La Pluie de feu (A Hundred Day)
Sur Edora P5C768, une fois par an il y a une "pluie de feu" toujours plus spectaculaire au fil des années. Ce sont des étoiles filantes. O'Neill et la chef se plaisent beaucoup. Il a de la chance, car il va être coincé sur la belle planète avec la jolie femme, un astéroïde ayant démoli la porte des étoiles. Oui ma SG-1 va gâcher leur plaisir en réussissant à venir à son secours.

0318 Trahisons (Shades of Grey)
Retour sur Tollana pour renouer des relations diplomatiques. Comme ils n'obtiennent rien, O'Neill pique un appareil qui neutralise les armes. Puis il pète un plomb avec le général Hammond.
Les Tollan reviennent chercher leur bien et rompent toute relation diplomatique. Pour éviter la cour martiale à O'Neill, Hammond lui propose la retraite anticipée. Bizarre non ?
Maybourne se pointe chez O'Neill pendant sa retraite et lui propose (quel naïf !) l'utilisation illégale d'une porte des étoiles. Hammond a nommé un nouveau chef du SG-1.
Tout cela est un peu gros.
Voilà O'Neill enrôlé dans une équipe clandestine qui vole des technologies extraterrestres.
(Voir l'épisode 0415)

<u>0319 Un nouveau monde (New Ground)</u>

Sur la planète P2X416, les indigènes ont dégagé la porte des étoiles. Ils ne sont pas vraiment commodes à cause de leurs croyances et de leurs conflits guerriers entre les deux continents.
On ne peut pas dire que l'accueil soit chaleureux. Seul Teal'c échappe à l'arrestation.
Des soldats fascistes ne croient pas à l'évidence, prisonniers de leur idéologie.
Teal'c est rendu aveugle lors d'un combat avec un soldat. Il est aidé par un indigène, celui qui a ouvert la porte des étoiles.
La religion des autochtones a été créée par Nefertoum qui prétend que les humains sont nés sur cette planète contrairement à leurs ennemis, les Opticans.
L'arrivée du SG-1 bouleverse ces croyances. « Ils sont la preuve que nos croyances sont fausses et que celles de nos ennemis sont vraies », déclare l'archéologue qui a découvert la porte des étoiles.
L'officier nazi ne supporte pas la vérité et torture ceux qui la prononcent.
« Je suis un scientifique. Si je découvre que mes théories sont fausses, cela m'intéresse autant que si elles se révélaient exactes. », déclare Nyan, le jeune archéologue.

0320 L'instinct maternel (Maternal Instinct)
On se souvient qu'Apophis avait survécu. Il a également survécu à l'explosion de la lune Netu.
Il a attaqué Chulak et seul Bratac a survécu et s'est réfugié au SG-C. Apophis recherche l'enfant Harsesis qui se trouve dans un endroit appelé Kheb dont il est interdit de parler, car les Goa'ulds en ont peur. SG-1 trouve l'endroit et y va. C'est là que Jackson va apprendre ce qu'est l'Ascension. Un dérivé du Bouddhisme. On s'ennuie un peu avec tout fatras religieux et ces métaphores. Mais c'est un épisode important pour la suite. Quand Apohpis arrive avec ses Jaffas, ça se réveille un peu...

0321 Le Crâne de cristal (Cristal Skull)

Ils envoient le robot sur une planète et voici ce qui s'affiche sur l'écran : Particle detector – detect ++ lepton – spin Pos+1/spin neg0/gluon attenuate nil.
« Une matière qui ralentit les neutrinos ! » s'exclame Carter. Et ils voient un crâne de cristal. Ils vont voir sur place. « La radiation du méson augmente », analyse Carter.
Jackson regarde le crâne dans les yeux ce qui le rend invisible. Encore un épisode centré sur Jackson. Pour tenter de le retrouver SG-1 va voir son grand-père qui avait regardé un autre crâne dans les yeux en 1971 et avait affirmé qu'il avait vu des extraterrestres. En passant on apprend que Hammond est grand-père. Cela aura de l'importance dans un prochain épisode.

0322 Nemesis (Idem)

O'Neill tente vainement de recruter Carter, Jackson (opéré de l'appendicite) pour une partie de pêche. Le dialogue entre lui et Carter est très émouvant jusqu'à ce qu'il se fasse téléporter par un Asgard. Dans un vaisseau rempli de grosses araignées en meccano. Et on a droit à un nouveau générique avec Anderson comme coproducteur. Thor est mourant.
Nous faisons connaissance avec les Réplicateurs. Carter, Teal'c et O'Neill se retrouvent dans le vaisseau de Thor pour tenter de le détruire tout en sauvant les passagers. J'adore !
Ils ont de l'idée les petits !
À suivre

Saison 4 To'kra et Réplicateurs

0401 Victoires illusoires (Small Victories)
Un sous-marin soviétique. Deux matelots y rencontrent un "crabe" Réplicateur. Un prologue à la X-Files !
SG-1 est de retour et O'Neill ne peut toujours pas aller à la pêche. L'armée US récupère le sous-marin et le problème est d'éliminer les Réplicateurs qui s'y trouvent avec toutes les complications diplomatiques que vous pouvez imaginer.
Puis ils reçoivent la visite de Thor qui demande de l'aide pour une approche moins sophistiquée.
Jack et Teal'c partent en mission dans le sous marin épaulés par Jackson et Carter rejoint les Asgards.
Les deux actions contre les Réplicateurs se déroulent simultanément : sur Terre et dans la galaxie Asgard.
Le combat dans le sous-marin est excellemment bien filmé. Chez les Asgards on reçoit un excellent cours sur le fonctionnement des Réplicateurs.
Parfois il est bon de faire des folies.
« On a réussi, s'écrie Carter
  - Grâce à votre stupide idée major Carter, répond Thor. »
O'Neill invite Thor à la pêche, Carter a une drôle de coupe de cheveux et Teal'c une stupide barbichette blonde qu'il ne gardera pas heureusement.

0402 L'autre côté (The other Side)
Personne ne se repose au SG-1! Ils reçoivent un appel au secours d'une planète inconnue jusque là. Ils sont en guerre sur cette planète. Mais contre qui ? Le thème de cet épisode : doit-on aider n'importe qui ? Euronda (le nom de la planète) est dirigé par un régime néo nazi. Le SG-C est un peu naïf. Mais pas Jackson. Peut-être en fin de compte c'est lui qui va avoir raison…

0403 Expérimentation hasardeuse (Upgrades)

Anise, une belle blonde To'kra (elle reviendra à l'épisode suivant)apporte des bracelets spéciaux qui ne fonctionnent pas avec les To'kra. Ils augmentent toutes les capacités naturelles : avec eux ça va plus vite.
SG-1 est chargé de les expérimenter, sauf Teal'c. Mais quand ils veulent les enlever, ça ne marche pas. Au grand bonheur de ceux qui les portent. Ils partent en mission avec leurs nouveaux pouvoirs. Mais en désobéissant aux ordres.
Très divertissant ! Il y a la fameuse scène du désespoir de Jack O'Neill de voir Carter mourir. Très émouvant.

0404 Destins croisés (Crossroads)
Bratac envoie une jolie brune Jaffa au SG-1 ? Une copine à Teal'c. Il ne fréquente que de belles filles ce Teal'c. Elle veut qu'on l'emmène chez les To'kra car elle prétend qu'elle a réussi à communiquer avec son symbiote et l'a convaincu de livrer tous les secrets des Goa'ulds.
Toutes ces histoires de Jaffa m'ennuient.
On retrouve Anise la belle blonde To'kra au profond décolleté.

0405 Diviser pour conquérir (Divide and Conquer)
Négociations chez les To'kra. Un représentant du SG-C fait un massacre dans l'assemblée. Il semble être téléguidé. « Le major Graham était un Zatarc », un être contrôlé par les Goa'ulds.
Les To'kra expérimentent un appareil pour détecter les Zatarc. Une femme est atteinte.
SG-1 passe aussi l'examen. En guise de test ils repassent en revue leur mission de l'épisode 0403 et en ce qui concerne O'Neill et Carter, ils sont diagnostiqués comme Zatarc !
Or une négociation à un haut niveau doit avoir lieu entre To'kra et Terriens. Ça craint !
En fin de compte ce n'est pas le cas, car O'Neill et Carter ont menti pour cacher les sentiments qu'ils éprouvent l'un pour l'autre.
Excellent épisode avec de la libido partout.

0406 L'histoire sans fin (Windows of opportunity)

Jackson étudie les ruines d'un temple et le soleil de cette planète émet des radiations dangereuses. Un indigène manipule une combinaison de gros boutons carrés sur un autel après avoir paralysé Daniel. Ça fait des éclairs et O'Neill se retrouve à la cantine en se demandant ce qu'il fait là. Et Teal'c subit le même sort. Ils ont déjà vécu cette journée et ça recommence tous les jours. Du coup O'Neill va en profiter pour embrasser Carter (la vraie cette fois, pas son double comme dans 0306). Elle ne s'en souviendra plus, mais lui s'en souviendra.

0407 Eaux troubles (Watergate)
La porte des étoiles est en panne. C'est parce que les Russes en font marcher une autre ! C'est celle qui était dans le vaisseau de Thor qui s'était abîmé dans le Pacifique (0322). SG-1 va aider les Russes en difficulté, car leur porte ne se referme plus.
Le problème semble venir d'une planète que viennent de visiter les Russes. Elle est complètement recouverte d'un liquide. Jackson, Carter et le scientifique russe y vont. Ils vont avoir de méchantes surprises.
Pendant ce temps O'Neill et Teal'c prospectent la base russe. Ils vont avoir aussi une grosse surprise.
Morale de l'histoire : il faut toujours regarder où on met les pieds.

0408 Primitifs (The first one)

On fait connaissance avec les UNAS, ces êtres qui ont été les premiers hôtes des Goa'ulds. Justement sur la planète d'origine des Goa'ulds.
Les eaux sont pleines de serpents.
Épisode trop ethnologiquement anthropologique.
On avait vu un Unas dans l'épisode 0108 "Le Marteau de Thor".

0409 Terre Brûlée (Scorched Earth)
Une espèce de con d'extraterrestre a décidé de brûler toute une planète dans laquelle SG-C a installé un peuple réfugié (les Enkarans qui ont de drôles d'yeux). Il semble que ce ne soit pas si simple que ça à arrêter.
Ce truc a l'objectif de Terraformer la planète et remplacer la vie à base de carbone par la vie à base de soufre.
Une histoire… fumeuse.

0410 Les Gens du dessous (Beneath the Surface)
On se trouve dans une usine souterraine avec des esclaves, dont Teal'c, Carter, Jackson et O'Neill qui semblent ne pas savoir qui ils sont… d'ailleurs ils s'appellent autrement.
Teal'c semble en avoir conscience d'un coup, Carter et O'Neill sont amoureux. Au SG-C on apprend que SG-1 aurait disparu dans la glace de cette planète…

0411 Point de non-retour (Point of no Return)
Un type téléphone au SG-C et prétend connaître l'existence de la porte des étoiles. Encore un acteur commun avec X-Files. Ici il joue le rôle de Martin qui déclare avoir l'impression de « ne pas être d'ici ». « Je viens carrément de l'espace », dit-il. Tout l'épisode est un pastiche de X-Files.
Avec un extrait du film de Robert Wise *Le Jour où la Terre s'arrêta* (1951) qu'O'Neill regarde à la télé dans sa chambre d'hôtel.

0412 Perdus dans l'espace (Tangent)
Teal'c expérimente un intercepteur X301, hybride de technologie humaine et Goa'uld.
O'Neill prend place avec Teal'c et c'est parti !
Mais ils n'avaient pas pensé à un problème. Ils perdent le contrôle de l'appareil qui entame une accélération verticale subite.
Et dans l'espace ils reçoivent un message menaçant d'Apophis.
Superbes images de Jupiter.

0413 La Malédiction (The Curve)
La malédiction du Pharaon !
Des artefacts. La jarre d'Osiris. Ils la passent aux rayons X.
Au SG-C O'Neill lit un magazine. Jackson apprend que son prof d'archéologie est mort dans l'explosion de son labo. À l'enterrement il retrouve Sarah. Elle va avoir de l'importance par la suite.
O'Neill propose encore une partie de pêche à Carter qui refuse.

Jackson s'aperçoit qu'il y a des symboles Gioa'uld sur la jarre d'Osiris.
Teal'c s'ennuie à la pêche avec O'Neill. Carter est mobilisée par
Jackson pour étudier la jarre.
Ces Goa'ulds sont vraiment partout.

0414 Le Venin du serpent (Serpent's Venom)
Une histoire de Jaffa ? Pas seulement.
Pour supprimer un traître, rien ne vaut une bonne traîtrise. En attendant,
Jacob (le père To'kra de carter) et SG-1 doivent aller dans un champ de
mines spatial pour dresser Apophis et Neru-ur l'un contre l'autre. Teal'c
passe à la question. Indestructible cet Apophis. Il est temps qu'ils
inventent d'autres ennemis, c'est un peu lassant.

0415 Réaction en chaîne (Chain reaction)
SG-1 arrive sous un tir ennemi.
Hammond est las d'envoyer ses hommes au casse-pipe : il démissionne.
Noooon ??! Si !
Il y a même le sénateur Kinsey. Je n'aime pas trop ces épisodes avec les
politiciens. Toujours la même histoire : ils veulent de meilleures
bombes. Le SG-1 est démantelé. Mais ne vous inquiétez pas, la série ne
va pas s'arrêter là.

<u>0416 2010 (idem)</u>
Un type lit le journal à la terrasse d'un café. « Les Aschens exportent le
vaccin antivieillissement » Carter arrive s'assoit et lui dit : »Chéri ».
Hein ?
Ils n'arrivent pas à avoir d'enfant. Dans quel monde sommes-nous ? Et
c'est ce salaud de Kinsey qui est président ! Il manque O'Neill à la
cérémonie en l'honneur de SG-1. Il y a aussi le docteur Fraser qui
ausculte Carter. Fraser lui confirme qu'elle ne peut pas avoir d'enfant
alors que les Aschens lui avaient dit que tout était normal. Il va s'avérer
que ce passage du scénario ne présente pas seulement un intérêt privé
pour Carter. Cette dernière et Fraser découvrent que les Aschens
stérilisent tous les humains.
Seul moyen, revenir en arrière, corriger le passé comme dans le 0221.

Carter va voir O'Neill dans sa cabane pour l'informer. Il semble très fatigué. Et très jaloux, car Carter est mariée à l'ambassadeur.
Ils sont de retour au SG-C et rencontrent le sergent Walter (c'est dans cet épisode que celui qui compte les chevrons est enfin baptisé.)
À la fin ils meurent tous !

0417 Pouvoir absolu (Absolute Power)
Nous sommes sur Abydos avec le père de Sha're. Un tourbillon de sable, et un enfant apparaît : l'Harsesis (vous vous souvenez : le fils d'Apophis et de Sha're)
Comment extraire les informations qui sont enfouies dans son inconscient ?
Grâce à l'enfant, Jackson devient savant et très autoritaire. Un an plus tard, il a le pouvoir absolu.
Tout cela est un peu niais. Jackson en dictateur ? Il aurait fallu un autre acteur…

0418 La Lumière (The Light)
Un militaire se suicide en se précipitant dans le "jet" qui se produit quand s'ouvre la porte des étoiles. Il était en mission avec Jackson dans un lieu où luisait une lumière.
Jackson fait aussi une tentative de suicide. La faute à la lumière ?
O'Neill, Carter et Teal'c retournent sur cette planète. Sur place ils apprennent que les membres de la première expédition sont tous morts. Jackson est dans un état critique et Carter est hypnotisée par la lumière.

0419 Prodige (Prodigy)
Carter a découvert un petit prodige dans sa classe (il y a un diagramme de Feynman au tableau)
Elle a fait un exposé sur la théorie des cordes. O'Neill et Teal'c sont en mission sur une planète qui doit devenir un grand centre de recherche. Carter mobilise son prodige avec les méthodes de l'armée. O'Neill s'en voit avec des scientifiques capricieux et paranos.
Ils ont changé d'armes, ils ont des armes plus modernes avec le chargeur dessus : des P90.

La petite prodige a découvert une théorie qui explique des choses que Carter a connues, mais dont elle ne peut pas parler.

O'Neill fait la connaissance d'entités extraterrestres : des petits points lumineux qui traversent la matière. Carter emmène sa petite prodige sur cette planète. On fait connaissance avec le docteur Lee qui va rester longtemps dans la série.

Ils se font attaquer par les "lucioles". Carter n'a pas le même avis que la petite prodige. O'Neill doit faire un choix. Il fera le plus difficile...

0420 L'entité (Entity)

Ils envoient une sonde sur une planète. O'Neill cite le film *Alien*. Ils reçoivent en provenance de la sonde une onde de fréquence élevée. Ils sont obligés de couper le courant, car il y a des courts-circuits. Une entité semble avoir envahi le circuit informatique du SG-C.

Elle s'est construit un "corps", une unité centrale. Et Carter est infectée par l'entité/machine.

« Je vous ai étudié, vous tenez à la vie de cette unité », dit l'entité à O'Neill en parlant de Carter et par sa bouche.

Jackson veut faire de l'ethnologie avec une machine ! Tout cela est très émouvant.

« J'ai hurlé si fort pour qu'on m'entende, dit Carter
- On a entendu, répond O'Neill. »

0421 Répliques (Double Jeopardy)

Les Cheveux de Carter ont repoussé. La couleur a changé. Ils ont les anciennes armes. Ils arrivent sur une planète où on leur reproche d'être revenus. Cela étonne SG-1 qui pensait n'être jamais venu. Il leur est fait d'amers reproches. J'adore ces anneaux de transport. Cronos se pointe sur cette planète qu'il avait déjà envahie. Il n'est pas commode hein ? Jackson est exécuté, mais... ce n'est pas Jackson. C'est son double robot (Voir 0117). Le trouble de Cronos devant ce fait risquera de lui être fatal. Sur SG-C Harlan, le créateur des doubles de SG-1 appelle SG-1 au secours. L'équipe se rend sur la planète. La conversation entre O'Neill est son double est amusante.

Un épisode avec deux Teal'c, deux O'Neill, deux Jackson et deux Carter : quel pied ! En plus quelles belles bagarres.

0422 Exode (Exodus)
Vous vous souvenez de Tanith, le Goa'uld qui espionne la To'kra, pais qui sert à cette dernière à transmettre des fausses infos à Apophis. Il est arrêté et les To'kra utilisent le vaisseau volé à Cronos. La To'kra voudrait garder le vaisseau. Tanith s'évade et prévient Apophis. Carter a trouvé une idée pour faire exploser une étoile.
« C'est la première fois que je fais exploser une étoile », soupire la jeune femme.
Ils sont attaqués par un Al-kesh.
À suivre

Saison 5 Disparition de Daniel Jackson

0501 Ennemis jurés (Enemies)
Suite du précédent.
Après avoir échappé à l'explosion du soleil, le vaisseau de Carter, Jacob, Jackson et O'Neill sort de l'hyper espace suivi par celui d'Apophis. Un troisième vaisseau attaque Apophis. Nos amis se réfugient près d'un soleil proche et quand ils reviennent le troisième vaisseau a disparu. Le vaisseau d'Apophis est vide. Ils y vont. Ils trouvent les lieux infectés par les Réplicateurs. Puis le vaisseau s'autodétruit.
Teal'c est vivant et revient avec Apophis ! Et aussi des Réplicateurs. Quelle merde !
À suivre

0502 Le Seuil (Threshold)
Teal'c a retrouvé ses esprits. Enfin non ! il fait semblant.
Un épisode sur le retour de Teal'c à la lucidité. Qu'est-ce qu'on s'ennuie.
Cela nous explique pourquoi et comment Teal'c a trahi Apophis.

0503 Ascension (idem)
Sur P4X616n SG-1 est dans un vaste champ de ruines. Un bâtiment bizarre, une langue curieuse, et Carter est frappée par un rayon lumineux. Elle perd connaissance.
Quand elle est revenue à elle, elle est sommée de « se changer les idées » ! On la voit chez elle ; quelque chose la surveille. Elle a recueilli un "Ancien" sur cette planète. Il a pris forme humaine et il est tombé amoureux de la belle blonde. Il s'appelle Orlin. Elle est jolie Carter en civil avec des boucles d'oreilles.

0504 Le Cinquième homme (The Fifthman)
En pleine bataille contre les Jaffas, O'Neill reste sur la planète avec le lieutenant Tyler. Au SG-C, Hammond apprend à ceux qui reviennent qu'il ne connaît pas Tyler et il refuse que SG-1 y retourne pour sauver O'Neill.

Tyler n'est pas du tout ce que l'on croit et l'on voit. En parallèle il y a une enquête sur les membres de SG-1 pour tenter de les discréditer. Tyler est un extraterrestre : un Reol.

0505 Mission soleil rouge (Red Sky)
Une histoire de soleil qui s'éteint parce que le "trou de ver" de la porte des étoiles l'a traversé…
L'épisode le plus stupide de la série.

0506 Rite initiatique (Rite of Passage)
Cassandra prend un malaise.
Vous vous souvenez de Cassandra ? Suivez un peu ! Il y a un épisode qui porte son nom (0113). La seule survivante d'une planète. Aujourd'hui elle a un rétrovirus qui a déclenché sa maladie. Ils vont sur P8X987 où SG7 a découvert que certaines personnes atteintes de cette maladie se soignaient. Ils arrivent dans le labo de Nirrti. Ils pensent que les enfants malades y étaient attirés et soignés. En réalité, ils étaient cobayes. Vous vous souvenez aussi que Nirrti sait se rendre invisible ? C'est une saleté de Goa'uld. À bientôt Nirrti !

0507 Maîtres et serviteurs (Beast of Burden)
Ils arrivent sur une planète où les Unas sont des esclaves. Heureusement que Jackson est copain avec eux.

<u>0508 La Tombe (The Tomb)</u>
Des ruines genre civilisation Aztèque. Enfin plutôt babylonien comme dit Jackson. Et des Russes sont passés par là. Ils vont revenir plus tard avec une équipe russe. Ils entrent dans la tombe affronter des monstres et des démons. Ils ne devraient pas ouvrir ce sarcophage ! L'histoire est inspirée de *The Thing*… « Mon œil », semble dire le colonel russe au Goa'uld.

0509 Traquenard (Between Two Fires)
Rappelez-vous des Tollan.
SG-1 se trouve sur cette planète pour les obsèques d'Omoc. Narim confie à Carter en secret un message d'avertissement : la Terre court un

grand danger. Les Tollan ont besoin de Trinium. En échange, le chancelier Travell (une femme) propose un de ses canons à ions. « C'est bien ! » opine O'Neill. Narim est étonné par cet échange. Finalement Carter souligne qu'il faudrait 38 canons minimum pour sécuriser la Terre. Travell accepte de fournir 38 canons.
Il y a une conspiration au sein de la "curie" l'organe dirigeant de ce peuple. Voilà ce pauvre Narim amoureux de Carter embringué dans une drôle d'affaire.
On entend déjà vaguement des allusions à un puissant Goa'uld.

0510 Les Faux amis (2001)
Souvenez-vous (0416) l'épisode *2010* et le mot d'avertissement lancé par Carter à travers la porte des étoiles juste avant de mourir…
SG-1 revient d'une planète où ils ont négocié avec un dénommé Borren. Aïe ! Ce sont des Aschens ? Faut prévenir SG-1. C'était bien la peine que Carter depuis l'année 2010 envoie un avertissement. Carter cite Arthur C. Clarke qui a transformé Jupiter en soleil dans *2010 Odyssée 2*. On retrouve l'ambassadeur qui était le mari de Carter dans l'épisode de 2010…
Enfin, c'est de la SF hein ?

0511 Ultime Recours (Desesperate Measures)
Des militaires russes fument comme des pompiers. Une partie d'entre eux se fait massacrer par les autres pour délivrer un jaffa. Carter en civil se fait enlever par un commando cagoulé. O'Neill contacte Maybourne pour tenter de savoir par qui elle a été enlevée. Carter subit des expériences dans un hôpital.
OSS117, 007, enfin, espions avec pour enjeu un symbiote Goa'uld. O'Neill parle toujours de tuer Maybourne, mais ne le fait jamais.
On verra le même genre d'histoire dans Stargate Atlantis.

0512 Wormhole X-treme (idem)
On revient avec l'alien de l'épisode 0411 qui cette fois tourne une série télé et SG-1 cherche son vaisseau, car lui ne se souvient de rien.
Un épisode un peu vaseux.

0513 L'épreuve du feu (Proving Ground)
Excellent ! Comment on forme une jeune recrue en la mettant dans des situations difficiles. C'est dommage qu'on ne reverra plus cette jeune équipe dans les épisodes suivants, sauf le lieutenant Elliot (0515 et 0516).

0514 48 heures de délai (48 Hours)
Combats contre les chasseurs Goa'ulds. Fuite vers la porte. Teal'c s'attarde pour abattre le vaisseau dans lequel se trouve Tanith, mais ne réapparaît pas de l'autre côté au SG-C. Il est perdu dans la « mémoire tampon de la porte ». Comment le récupérer entier ? Il faut demander de l'aide aux Russes. Le colonel Simmons amène le docteur Mc Kay, tout jeunet... La jalousie commence à faire ses effets. Et O'Neill rencontre Maybourne qui devient de plus en plus sympathique. Ils partent à la recherche du Goa'uld prisonnier de Simmons (voir 0511). Les débats tendus entre Carter et Mc Kay sur les problèmes scientifiques sont assez agaçants. Mais c'est fait pour... À part ça, c'est bien ces Zat non ? Quel con ce Mc Kay heureusement qu'il s'améliorera sur Atlantis.

0515 Sans issue 1 (Rencontre au sommet) Summit
On avait appris, lors des épisodes précédents, l'existence d'un terrible maître Goa'uld sans connaître son nom. On l'apprendra : il s'agit d'Anubis. La To'kra informe le SG-C d'une grande réunion de maîtres Goa'uld. Le SG-C veut envoyer un espion dans cette réunion. Ce sera Jackson. Le but c'est d'éliminer tous les Goa'ulds, soit 7 grands maîtres ! ET cela avec un poison foudroyant. On fait la connaissance de Ba'al qui tiendra le coup dans la série jusqu'après la 10e saison. Ce pauvre Jackson, ses sentiments passent avant la sauvegarde de la galaxie. À suivre///

0516 Sans issue 2 (Dernier arrêt) Last Stand
Psiris vient représenter Anubis au conseil des sept. Le symbiote de Martouf a pris possession du Lt Elliot mourant ce qui trouble Carter. Osiris apprend à You qu'Anubis se passera de l'accord avec les

Asgards qui préserve la terre. Les discussions entre maîtres Goa'ulds sont ennuyeuses. Et cette mission est un échec complet…

0517 Impact (Failsaft)
Un astronome amateur a vu quelque chose… Carter expose qu'un astéroïde menace la Terre… O'Neill s'exclame : « On a déjà vu le film ». Il faut trouver une solution ! Ils cherchent du côté des Asgards, mais reçoivent une fin de non-recevoir. Ils vont réparer un vaisseau Goa-uld : ça va être juste ! (voir 0516 pour le vaisseau : c'est celui de Jacob qui s'est fait descendre par les Goa-ulds.)
Avec ce cargo Goa-uld il faut amener une bombe au Naquadah sur le gros caillou (135 km de long). Vous imaginez que tout cela n'est pas évident. En attendant au SG-C ils évacuent vers le site alpha. Mais ils vont trouver une solution incroyable ! Faut toujours faire confiance en Carter !

0518 Le Guerrier (The Warrior)
Une histoire de Jaffas. Si vous aimez… Ces SG-1 ! ils fournissent des armes à n'importe qui.

<u>0519 Menace (Menace)</u>
Une planète abandonnée. Dans une crypte (un labo ?) ils trouvent le corps d'une femme parfaitement préservé. Toujours imprudents ces SG-1 : ils apportent le corps au SG-C. Il semble que ce soit un robot. Et ils décident de le réactiver. Et il parle notre langue ! Ce robot s'appelle Reese. C'est donc une jeune fille d'apparence. Jackson joue toujours à l'humaniste affecté. C'est l'épisode où on apprend l'origine des Réplicateurs.
Cette idée de scénario est géniale. Pour régler certains problèmes, rien ne vaut le bon vieux O'Neill.

0520 La Sentinelle (The Sentinel)
Voir les épisodes précédents concernant le N.I.D.
SG9 n'est pas revenu de chez les Latoniens. SG-1 emmène deux prisonniers membres du N.I.D. pour réparer la Sentinelle sur Latona, car ce sont eux qui l'ont abîmée. C'est un appareil qui défendait la

planète contre les Goa'ulds. En réalité ce ne sont pas le pirates du N.I.D. qui ont endommagé la Sentinelle… Pas si mauvais que ça ces gars… En attendant comme d'habitude, SG-1 est dans la M… La Sentinelle ne peut pas marcher sans une composante essentielle.

0521 Zenith (Meridian)
Daniel revient irradié d'une mission. D'après Carter, il serait condamné (il a reçu des radiations « au-dessus de la dose létale »). Ils étaient à Kalowna, l'un des trois pays de 4C3. Sur cette planète nous faisons connaissance avec le sympathique Jonas Quinn (qui remplacera Jackson dans plusieurs épisodes – mais pourquoi les scénaristes ont-ils fait disparaître Jackson ?) Cette nation a découvert du Naquadria, du Naquadah très radioactif, qui doit leur servir à fabriquer une bombe. Les Kelowniens accusent Jackson d'avoir saboté le labo. « Un homme de ta taille ne tient pas dans un terrier » déclare Oma Desala à Jackson. Le personnage de Jonas Quinn est très intéressant. Dommage qu'il ne durera pas.
L'histoire de cet épisode est un peu niaise, mais émouvante.
« Chacun de nous peut atteindre la lumière. »

0522 Révélations (Revelations)
Souvenons-nous des épisodes précédents 0515 et 0516, ainsi que l'épisode précédent. Osiris est contactée par Thor, car elle ne doit pas être là. Mais elle a un bouclier qui empêche Thor de détruire son vaisseau. (Teryl Rothery joue Heimdall).
SG-1 part sur une planète délivrer un Asgard prisonnier. Ils rencontrent Heimdall ce Asgard coincé sur terre. Ils apprennent que Thor est prisonnier des Goa'ulds, d'Osiris plus précisément.
J'adore ces épisodes commandos chez les Goa'ulds… On apprend que les Asgards sont des clones. Et à force de créer des doubles il y a dégénérescence et la race est en voie d'extinction.

Saison 6 Jonas Quinn

0601 Rédemption 1 (Redemption)
SG-1 rentre au SG-C sous le feu de l'ennemi. Ils ont fabriqué le X302, un superbe avion de chasse capable de voyager dans l'hyper espace. Et il faut remplace Jackson,. La femme de Teal'c est gravement malade. Il y a le colonel russe aussi…
La porte des étoiles s'allume, mais il n'y a rien qui sort… curieux. Il y a Ria'c aussi (qu'est-ce qu'il joue mal cet acteur) toujours aussi cucul. Ces scènes entre Ria'c et Teal'c sont lamentables.
La porte reste ouverte et cela risque d'exploser très très fort… Et voilà Mc Kay qui arrive.
La Terre est attaquée par Anubis via la porte des étoiles. Bratac recherche à partir de quelle porte Anubis annihile celle de la terre. Carter et o'Neill partis en X302 échouent. Mac Kay est toujours aussi odieux.

0602 Rédemption 2 (Redemption)
La pauvre carter est mise à rude épreuve. En plus avec Mc Kay sur le dos. Teal'c, Bratac et Rya'c se rendent sur la planète d'où Anubis ouvre la porte des étoiles. La "solution" de Mc Kay est une catastrophe. Carter met en oeuvre une autre solution imaginée par Jonas.

0603 Réunion (Descent)
C'est fini les pleurnicheries de la "disparition" de Jackson ? Presque…
Le vaisseau d'Anubis dans lequel Thor était prisonnier est en orbite autour de la Terre. Complètement vide de tout occupant. Ils sont si beaux ces vaisseaux. Mais pourquoi ce vaisseau a-t-il été abandonné ? Tout cela n'est pas aussi simple qu'ils l'imaginaient.
« On ne sait jamais de quoi on est capable avant de l'avoir fait », déclare Teal'c.
Carter et O'Neill se retrouvent dans un compartiment inondé. Quand on s'y met tous, on y arrive !
Superbe épisode. Superbe idée de scénario. (Carter a mauvaise mine…)

0604 Prisonnière des glaces (Frozen)

Ils ont trouvé le corps d'une femme congelée dans la glace de l'Antarctique. Il y a même la délicieuse Frazer… Directement inspiré de The Thing (La Chose d'un autre monde). Elle est bien jolie la fille congelée. Celle-là au moins ne parle pas notre langue.
Un membre de l'expédition tombe malade. La base polaire est mise en quarantaine. Carter a toujours mauvaise mine. La fille de la glace a le pouvoir de guérir, mais…
O'Neill, lui, devra être sauvé par un symbiote To'kra.

0605 L'expérience secrète (Night Walkers)
Carter est bien jolie réveillée en pleine nuit par le téléphone. Elle a l'air en meilleure forme que dans les épisodes précédents. Adrian Conrad était devenu un Goa'uld, et un scientifique a disparu. Des gens feraient-ils des expériences avec des symbiotes ? O'Neill est absent il est devenu To'kra… Le trio SG-1 mène l'enquête dans un bled perdu où les gens deviennent bizarres la nuit. Carter est vraiment belle en civil. Elle a toujours cet air triste.
Elle va être infectée par un symbiote Goa'uld. Encore une superbe idée de scénario.

0606 Abysse (Abyss)
Souvenez-vous, on avait laissé O'Neill malade, emmené par la To'kra pour être infecté par un symbiote afin d'être guéri.
Dans cet épisode on le retrouve fuyant des Jaffas, en tenant une jeune fille par la main. Il est abattu et perd son symbiote… Il se réveille dans un sarcophage Goa'uld… Il est prisonnier de Ba'al qui le torture à mort et le ressuscite à chaque fois…
Les effets spéciaux sont excellents, pour les faux effets de perspective avec la pesanteur qui change de sens.
C'est curieux comment ce personnage de Ba'al va évoluer dans la série, pour devenir parfois un aimable rigolo. Mais dans cet épisode il est terrifiant.
Carter, elle, a toujours l'air fatiguée. L'apparition de Jackson dans la cellule d'O'Neill n'est pas vraiment intéressante. Elle est même inutile.

Au SG-C ils ne sont pas contents que le symbiote To'kra d'O'Neill l'ait introduit dans la base de Ba'al... SG-1 prépare une intervention pour créer les conditions de la libération d'O'Neill...

0607 Résistance (Shadows Play)
Le SG-C reçoit un message de P2S-4C3, du commandant Hale de Kelowna? Carter est toujours aussi lasse. Kelowna veut une aide de la Terre pour sa guerre contre deux autres pays. En échange de Naquadria et à l'appui d'un petit chantage. La situation de Jonas Quinn est difficile : aux yeux des dirigeants de Kelowna c'est un traître. Son ancien professeur veut l'enrôler dans la résistance. Un épisode inspiré des œuvres de P.K. Dick sur les apparences trompeuses : la réalité n'est pas toujours ce que l'on croit.

0608 Acte de bravoure (The Other Guys)
Un Goa'uld envoie un chef Jaffa pour enlever SG-1. Deux scientifiques un peu niais, très fans de SG-1 tentent de libérer les membres de l'équipe alors qu'ils se sont laissés arrêter volontairement dans le cadre d'une mission secrète...
Ils ont un débat sur les Klingons et les Vulcains. Star Trek est souvent cité dans cette série.

0609 L'union fait la force (Allegiance)
Jaffa et To'kra sont réfugiés sur une planète. L'entente ne règne pas, c'est le moins qu'on puisse dire. Des meurtres sont commis ce qui jette la suspicion surtout après que le réacteur a été saboté. Les aventures de l'homme invisible.

0610 Le Remède miracle (Cure) (La Reine)
SG-1 est sur une planète où les gens ne sont jamais malades grâce à une potion : la Trétonine. On verra qu'ils la fabriquent à partir de symbiotes Goa'ulds. Mais comment se les procurent-ils ? On découvre dans cet épisode la reine mère des To'kras.

0611 Prométhée (Prometheus)

On se souvient d'Adrian Conrad qui s'est laissé infecter par un Goa'uld et enlever par l'ordure den service du NID : Simmons. Une journaliste à la jupe bien fendue et au cerveau atrophié tente de tirer les vers du nez à Carter. Ce qu'on ne comprend pas (mais il faudrait interroger le scénariste) c'est comment le SGI est assez stupide pour faire visiter le Prométhée à la "presse"… On se demande aussi comment une journaliste au cerveau aussi atrophié peut être aussi "importante. Tiens ! Carter tutoie Jonas ! Les terroristes ont une sale gueule. La journaliste ne s'améliore pas… Vraiment cons ces SG-1 : il n'y avait que deux gardes sur le Promérhée. Et Quinn est assez naïf pour montrer à un tiers ce qu'il fait. N'importe quoi cet épisode ! Le tréfonds de la débilité. Ou alors les scénaristes se sont détendus… To be continued…

0612 Évolution (Unnatural Selection)
Souvenez-vous de l'androïde qui a créé les réplicateurs. Les Asgards demandent au SG-1 de les aider contre les réplicateurs. Les Asgards avaient essayé d'enfermer les réplicateurs dans une bulle de ralentissement temporel v(0519). Mais cela avait échoué.
Arrivés sur la planète, SG-1 trouve des réplicateurs ayant pris forme humaine. L'un d'eux ne peut pas résister au charme de Carter. Décidément Carter est abonnée aux extraterrestres amoureux d'elle… Cela fait le quatrième ! Il s'appelle no 5. On le retrouvera dans de prochains épisodes ainsi que RépliCarter.
« Sous cet humour, je vois la souffrance et le malheur ! » Déclare Réplicateur No1 à O'Neill…

0613 Hallucinations (Sight Unseen)
En revenant d'une planète, SG-1 ramènent un engin qui semble fonctionner sans qu'on sache à quoi il sert et Jonas voit une créature ailée traverser le mur de béton du SG-C. O'Neill invite Carter à la pêche et elle refuse. Ça commence toujours comme ça les aventures incroyables.
En effet, l'engin rapporté permet de voir des créatures d'un monde parallèle.

Ces histoires de "civil" contaminé qui "brise la quarantaine" sont toujours agaçantes. C'est en général une allégorie sur la contagion de la connerie…

0614 Écrans de fumée (Smoke & Mirrors)
Souvenez-vous des problèmes avec Kinsey.
On voit Jack O'Neill assassiner le sénateur Kinsey (bien fait pour lui !).
O'Neill est arrêté. Tout se ligue contre lui. Se souvenir de ce qui s'était passé après l'invasion du SG-C par des Aliens ayant pris apparence humaine.
Excellente enquête du SG-1 sans O'Neill qui est en prison.
Encore un qui est amoureux de Carter, et cette fois, ce n'est pas un extraterrestre.
Avec Carter comme personnage principal c'est toujours excellent !

0615 Paradis perdu (Paradise Lost)
Le retour de Maybourne. Il informe O'Neill qu'il a les coordonnées de la porte des étoiles de la planète de destination du Prométhée quand il a été volé par Simmons (voir 0611). Sur cette planète il y aurait un stock d'armes des Anciens dont seul Maybourne aurait la clé de la porte d'accès. (Carter a l'air d'avoir retrouvé la forme).
Bon, ils y vont, et comme d'habitude Maybourne trompe son monde et réussit à se transférer sur une planète paradisiaque, suivi par O'Neill.
Mais ce paradis cache des horreurs. Ils retrouvent plusieurs squelettes…
Carter essaie fébrilement de retrouver où les deux hommes sont allés.
Elle se met violemment en colère quand l'équipe scientifique, le Dr Lee, décide de quitter les lieux. Sur la planète paradisiaque, la paranoïa envahit Maybourne et O'Neill. . Quand c'est le cas, l'image devient en noir et blanc.
Ils ont encore fait pleurnicher Carter !

0616 Métamorphose (Metamorphosis)
Les Russes ramènent une personne qui explique que son peuple sert de cobayes à Nurti. Cet individu se liquéfie littéralement. Ils vont sur cette planète où ils sont confrontés à des hommes monstrueux aux pouvoirs étonnants. Ils sont soumis à Nurti. C'est pire que la cour des miracles.

Une fois de plus voilà SG-1 prisonnier ; « Tout ne s'est pas déroulé comme on le pensait. » Dit O'Neill.

0617 Secret d'État (Disclosure)
Non ! Pas encore lui ! Si ! Voici Kinsey…
Réunion des diplomates des grandes puissances : l'occasion d'une revue des épisodes précédents. Les autres pays sont informés des dangers venus des Goa'ulds
HA'TAK vaisseau mère, AL-KESH bombardiers Vaisseaux de la mort (ou chasseurs de la mort).
Cet épisode ne réunit pas les quatre de SG-1 : on ne les voit que dans les extraits d'épisodes précédents.

0618 Les Rescapés (Forsaken)
SG-1 est sur une planète pour faire des observations et O'Neill trouve une photographie. Puis un vaisseau spatial échoué… Il y a des gens rescapés et un Alien monstrueux. Ils n'auraient pas dû se fier aux apparences. On reverra ce peuple dans un autre épisode. La morale de cette histoire ? Les moches ne sont pas toujours les méchants !

0619 La Porte des rêves (The Changelling)
Excellent épisode. Enfin un traitement passionnant du personnage de Teal'c. C'est normal, c'est Christopher Judge qui joue son rôle qui a écrit le scénario.
On le retrouve dans des situations et des rôles différents, étranges… Il y a Bratac aussi en beau-père. Et Carter en pompier, Jonas, O'Neill… Et puis Jackson avec son air important et sérieux. Mais ce que fait le psychiatre Jackson ne sert à rien. Superbe épisode déstabilisant…

0620 E quête du passé (Memento)
On est sur le Prométhée en plein exercice et O'Neil est de mauvaise humeur. Le Colonel qui commande le vaisseau refuse l'aide de SG-1mais une panne va l'obliger à requérir la collaboration de l'équipe. Ils sont donc en panne loin de la Terre.
Ils ne peuvent pas réparer. La seule solution : atteindre une planète proche qui posséderait une porte des étoiles. P3x744

J'adore ces Space Operas !
Deux missiles sont envoyés de la planète vers le vaisseau après l'explosion du réacteur du Prométhée qui avait été éjecté. Finalement ils sont autorisés à atterrir. Les habitants ne sont pas accueillants. D'autres le sont pourtant. SG-1 part à la recherche de la porte des étoiles, mais l'histoire de ce peuple a été entièrement effacée.

0621 La Prophétie (Prophecy)
Souvenons-nous de Cassandra et de Nurti (0616)
Les quatre de SG-1, tels les cavaliers de l'Apocalypse, arrivent sur une planète qui continue à servir Ba'al malgré son absence depuis un siècle et Jonas a un malaise. On sent le retour prochain de Jackson, l'acteur Michael Shanks doit être de nouveau disponible. Jonas a des visions de l'avenir proche. Carter a de nouveau bonne mine, elle a l'air de nouveau en pleine forme. Mais comment interpréter de manière juste ces visions ?
Carter fait un exposé sur le principe d'incertitude d'Heisenberg (mécanique quantique) qui implique qu'on ne peut pas prévoir l'avenir.... O'Neill et Teal'c et les autres SG, eux, sont prisonniers sur la planète. Une fois de plus ! Les visions de Jonas sont plus déstabilisatrices qu'autre chose...Ce sont ses visions qui enclenchent les événements !

0622 Pacte avec le Diable (Full Circle)
Qu'est-ce que je vous avais dit ! Voilà Jackson ! Toujours aussi sérieux et chiant. Sur Abydos. Et le voilà aussi dans l'ascenseur avec O'Neill, toujours aussi agaçant. Il prévient O'Neill qu'Anubis va chercher un bijou, "L'œil de Râ", sur Abydos, et qu'il faut l'empêcher de l'avoir. Ils y vont et Anubis arrive aussi. Aïe aïe ! Une tablette qui « parle d'une cité perdue dont dépend notre survie, dit Jakson avant de disparaître lâchement pour se rendre sur le vaisseau d'Anubis.
Anubis est un Goa'uld qui s'est élevé. Jackson est devenu un Ancien comme tous ceux qui ont fait l'ascension. Je m'aperçois qu'on ne devait pas le savoir jusque-là ?
Quel naïf ce Jackson !

Saison 7 Samantha Carter

0701 Retour aux sources 1 (Fallen)
Et voilà Jackson : tout nu et amnésique. Corin Nemec (Jonas Quonn) n'est plus dans le générique de base. Carter a changé de coiffure. Elle a l'air en forme. Jonas a compris ce qu'était "la cité perdue des Anciens". En réalité "la cité des âmes perdues". Et devinez qui s'y trouve ? Jackson ! Que SG-1 va retrouver. Même amnésique, toujours aussi guindé ce Jackson. Jonas concocte un piège à tendre à Anubis. Et Carter présente le moyen de s'introduire dans le vaisseau mère d'Anubis et de détruire sa super arme en comptant sur You pour l'attaquer ensuite. L'opération commence par le F-302 qui décolle. Ça va devenir intéressant. Il est piloté par Carter et O'Neill. Le pied ! Mais You devient gâteux. To be continued.

0702 Retour aux sources 2 (Home Coming)
Jonas est prisonnier d'Anubis alors que Jackson erre dans les gaines d'aération du vaisseau. Anubis s'est approché de la planète de Jonas pour y voler le Naquadria (grâce aux informations extraites de son cerveau avec son petit « spoutnick » miniature...) Teal'c est prisonnier sur le vaisseau de You qui n'a pas attaqué Anubis... Houlala tout cela est bien compliqué. You perd la tête, car il est devenu gâteux. Je préfère nettement le Daniel Jackson en guerrier aguerri...
Teal'c essaie de convaincre le prima de You de prendre le pouvoir. Ils prennent contact avec Ba'al. Anubis a envahi la planète de Jonas. Les images du vaisseau d'Anubis survolant la capitale ne peuvent que faire penser à celles d'*Independence Day*. Jackson tente de libérer Jonas. L'un et l'autre discutent de leur place dans SG-1 (elle est bien bonne !) Il s'avère qu'Anubis recherche un cristal sur la planète.
Au-revoir Jonas !

0703 L'apprenti sorcier (Fragile Balance)
Un gamin prétend être le colonel O'Neill. Le comédien qui joue le rôle du gamin est nul. Quant au doublage français, n'en parlons pas. C'est comme avec Rya'c. Ben oui c'est bien O'Neill ! Rajeuni de 30 ans. Il a été enlevé par un Asgard. On est en pleine ufologie. Pas intéressant.

Ils vont encore faire pleurnicher Carter !? Non... Tout cela à cause du *böse Loki*....

0704 Les Esclaves d'Erebus (Orpheus)
SG-1 revient de mission sous le feu de l'ennemi et Teal'c est gravement blessé. Il a besoin de rééducation. Carter critique le film *Signs*... Elle a une belle coupe de cheveux. Jackson a pris du muscle. Il recherche ses souvenirs d'avant son ascension.
Cet épisode est consacré aux états d'âme de Teal'c sans son symbiote (il utilise la Tretonine). Jackson voit Rya'c et Bratac en esclaves. Une histoire de Jaffas ! Excellente !
Grâce aux « visions » de Jackson SG-1 parvient à se rendre sur la planète où Rya'c et Bratac sont esclaves. Avec des renforts. Carter et Jackson investissent le vaisseau Goa'uld en construction pour organiser une diversion.

0705 Le Réseau (Revisions)
Une planète à l'atmosphère toxique avec un gigantesque dôme qui abrite un véritable petit paradis. Enfin, presque... Évidemment ! On retrouvera le même village dans plusieurs épisodes, notamment dans *Stargate Atlantis*.

0706 Vaisseau fantôme (Lifeboat)
Un vaisseau spatial échoue sur une planète déserte. Il est plein de gens en sommeil cryogénique. Les quatre de SG-1 sont attaqués par une espèce de flamme et restent inconscients. Il y a un fantôme dans ce vaisseau. Ce(s) fantôme(s) semble(nt) avoir investi le corps des membres de SG-1. Jackson c'est sûr, les autres on se demande...
Un peu vaseux...

0707 Les Envahisseurs (Enemy Mine)
Des militaires de SG-C prospectent une planète et y trouvent du naquadah. Mais c'est une planète de Unas. Vous savez ces espèces de monstres que Jackson aime bien.
Ennuyeux.

0708 La Grande épreuve (Space Race)
Carter s'engage dans une compétition de vaisseaux avec Warrick (pas vraiment beau !) avec la technologie Serrakine.
Assez amusant. Un épisode centré sur Carter est toujours intéressant.

0709 Le Vengeur (Avenger 2.0)
Souvenez-vous des deux hurluberlus qui ont « sauvé SG-1 malgré eux (Felger et un autre).
Felger a trouvé un truc : insérer un virus dans le système Porte des Étoiles, mais Ba'al l'utilise à son profit pour tout bloquer.
C'est curieux, Carter se laisse embarquer comme ça ! Nul !

0710 Les Amazones (Birthridht)
Quand deux Jaffas se rencontrent et sont attaqués par des Jaffas, ils sont sauvés par une brochette de jolies filles en armes. Enfin... des filles Jaffa...
Et puis alors, Ishta, la chef, est une belle blonde. Mais c'est teal'c qui a la cote.
Une histoire de Jaffas.

0711 La Fontaine de jouvence 1 (Évolution 1)
Sur une planète deux groupes de Jaffas semblent s'être entretués. Erreur, c'est l'œuvre d'un super soldat qui finit par succomber. Son corps est ramené au SG-C.
Carter et son père Jacob l'étudient. « Le plus grand athlète du monde sans se soucier de sa longévité », à l'abri d'une armure invincible. Un être organique artificiel, création d'Anubis, conçu à partir de chair morte. Selmak, (le Goa'uld de Jacob) propose de chercher l'appareil à l'origine des sarcophages Goa'uld : la « fontaine de jouvence ». Elle pourrait se trouver dans le sud du Honduras.
Jackson et le Dr Lee vont au Honduras. On note au passage qu'il est plus difficile de se comprendre au Honduras que sur n'importe quelle planète reliée aux portes des étoiles...
Jackson se transforme en aventurier de l'Arche perdue dans la jungle du Honduras.

Pendant ce temps-là, SG-1 et SG3 vont sur la planète des super soldats pour en enlever un exemplaire... Mais ces bestioles sont coriaces. Et voilà de nouveau SG-1 et SG3 prisonniers !
Lee et Jackson découvrent l'artefact. Les guérilleros qui les arrêtent ont l'air rigolos, sans plus...

0712 La Fontaine de jouvence 2 (Évolution 2)
SG-1 et SG3 ont fini par réussir à enlever le super soldat vivant. O'Neill part à la recherche de Jackson. Le chef des guérilleros a réussi à faire marcher l'artefact qui transforme les gens en zombies. Jackson a peut-être maintenant de gros biceps, mais il est toujours aussi gnangnan et a un regard toujours aussi abruti.
Carter, Teal'c, Jacob et Bratac montent une expédition sur la planète d'origine du super soldat. Sur cette planète c'est plus intéressant.

0713 Le Voyage extérieur (Grace)
L'épisode précédent s'est terminé par un tête-à-tête Carter-O'Neill.
Ce présent épidose est entièrement consacré à la vie intérieure de Carter ainsi qu'à ses sentiments envers O'Neill. Carter est sur le Prométhée, elle convainc le commandant du vaisseau de faire un petit détour vers un nuage interstellaire. Ils rencontrent un vaisseau inconnu qui les attaque. Carter propose d'aller se cacher dans le nuage de gaz. Elle perd connaissance dans le (court) saut hyperspatial. Elle se réveille dans le Prométhée désert qui se trouve dans le nuage de gaz.
Un chef-d'œuvre de cette série !
Au SG-C tout le monde s'inquiète pour Sam, particulièrement Jack O'Neill. Carter, mal en point sur le vaisseau, tente de s'en sortir. Elle est victime de visions : les personnages qu'elle voit proviennent de son inconscient. Comment prendre les bonnes décisions ?
Cet épisode est inspiré des films, et du roman) *Solaris*.
« Vous pouvez toujours compter sur moi ! » Déclare O'Neill (du moins son apparition) à Carter...

0714 Dangereuse alliance (Fallout)
Jonas arrive au SG-C venant de Kelowna. Le Naquadria n'est pas naturel : il provient d'une réaction en chaîne du naquadah. Et cette

réaction se poursuit et elle va exploser, ce qui va détruire la planète.
Jonas est aidé par une jolie assistante qui va s'avérer être une Goa'uld.
Il y a quelques discussions intéressantes de physique quantique et des formules au tableau noir.

0715 Chimères (Chimera)
Souvenez-vous de Sarah/Osiris, de l'amour de Carter pour O'Neill (et vice versa), la tablette de la cité perdue...
Osiris passe ses nuits dans la chambre de Jackson pour extraire toute information ^possible de son cerveau. Et Carter est amoureuse d'un flic sympa. Il s'appelle Peter.
Comme elle fredonne dans l'ascenseur, O'Neill manifeste de la jalousie. C'est le grand amour entre Sam et Peter...
Osiris continue à fouiller le cerveau de Jackson : elle tente de lui faire déchiffrer la tablette de la cité perdue. Peter voudrait connaître la vie de Sam. Mais elle ne peut rien lui dire...

0716 La fin de l'union (Death Knell)
Souvenez-vous de la base où ont été réunis Jaffas et To'Kra, ainsi que de la création de super soldats. Et aussi de la fontaine de jouvence...
L'épisode commence par une engueulade de Jacob qui reproche à Carter de ne pas aller assez vite dans la mise au point de l'arme anti super soldat. Puis ils sont attaqués par des Goa'ulds.
Au SG-C ils n'ont plus de nouvelles et ils décident de se rendre sur la planète. Il semble ne plus y avoir de survivants. Mais... et Carter ? Ils cherchent et trouvent 12 survivants, mais pas Carter. Ils trouvent ensuite Jacob gravement blessé. Carter est vivante, blessée et en fuite, poursuivie par un super soldat.
Un excellent "survival" avec Carter comme personnage principal.
Je préfère cette Carter-là à celle qui pleurniche.
Autrement il y a un traître quelque part : celui qui a informé Anubis de l'existence de la base dans laquelle Carter mettait au point l'arme anti super soldat.
Superbe travelling arrière à la fin.

0717 Héros 1 (Herose 1)

Le sénateur Kinsey : encore lui ! Un journaliste est chargé de tourner un documentaire au SG-C. Il n'est pas le bienvenu.
Cet épisode et sa suite sont très intéressants, car ils traitent de la vérité dans un reportage. Ou du mensonge ! Comment transcrire réellement ce qu'il se passe réellement ? Le journaliste n'a pas la tâche facile. Au début il agace et petit à petit il devient sympathique. Il est même très mauvais au début ! Il ne sait pas poser les bonnes questions.
L'interview est tout un art qui semble étranger au scénariste de l'épisode, scénariste par ailleurs excellent !
Une équipe SG découvre des ruines sur une planète. Peut-être des ruines des Anciens. Ils se font attaquer par un drôle d'engin volant.
« Les caméras ne se content pas d'enregistrer les choses : elles changent ce qu'elles filment de par leur simple présence. » Déclare génialement le général Hammond au journaliste.
Ce dernier drague le Dr Fraiser. SG-13 se fait attaquer sur la planète et SG-1 vole à son secours.
To be continued.

0717 Héros 2 (Herose 2)
Cet épisode et le précédent sont une synthèse de la série.
SG-1 et d'autres équipes courent vers la porte des étoiles. Très impressionnant. Le journaliste réalise le montage de son film : une occasion d'apprendre le métier.
La bataille fait rage sur la planète. Les scènes de guerre sont très bien filmées.
Le journaliste explique qu'il veut montrer que ces militaires sont des héros. Il fait également une déclaration enflammée sur la liberté de la presse.
Et voici Woolsey qui arrive pour une enquête sur l'échec de la mission de sauvetage de SG-13. Quelqu'un est mort : mais qui ? O'Neill ? Nooon… Le Dr Fraiser ! Bon Dieu pourquoi ont-ils décidé de faire mourir ce personnage ? C'est dingue ! Il y a un débat très intéressant sur l'usage des images de reportage. Et Carter pleurniche de nouveau…
Cette deuxième partie est un des meilleurs épisodes de la série.

0719 Résurrection (Resurrection)
SG-1 (sauf O'Neill convalescent) est appelé par l'agent Barrett dans un entrepôt utilisé par le NID pour des expériences. Il y a de nombreux morts. La meurtrière est une petite jeune-fille. Il y a un autre survivant : un scientifique, le Dr Keffler.
Ils trouvent aussi une boîte avec un système Goa'uld… La jeune fille est un hybride humain et Goa'uld. La boîte est une bombe avec compte à rebours pour son déclenchement. Le Dr Lee est embauché pour désamorcer l'engin. Seule la Goa'uld pourra le faire. Anna/Goa'uld a été créée par le Dr Keffler.
Excellent. Rien que le plan séquence avec grue du début vaut son pesant d'or cinématographique. Et plein d'autres plans-séquences…
Épisode écrit par Michael Shanks. Réalisé par Amanda Tapping.
L'acteur qui joue le Dr Keffler est excellent, ce qui n'est pas toujours le cas dans cette série.

0720 Lutte de pouvoir (Inauguration)
Ces histoires politiciennes sont ennuyeuses.
Le nouveau président est informé de l'existence de la porte des étoiles. L'infâme Kinsey sévit toujours. Ainsi que l'ineffable Woolsey (personnage qu'on retrouvera tout au long *de Stargate Atlantis*). Tous adversaires du SG-C.
L'occasion pour les scénaristes de récapituler les épisodes précédents et de faire des économies de tournage.
On voit apparaître la disquette qui accable Kinsey.
Très ennuyeux vous dis-je !

0721 La Cité perdue (The Lost City)
ENCORE KINSEY ????
Voici le docteur Weir, vous savez celle qui dirigera la base d'Atlantis, mais ce sera une autre comédienne qui jouera le rôle dans cette deuxième série.
Pitié ! Foutez-nous la paix Kinsey !
Cet épisode est écrit par Brad Wight et Robert C. Cooper, les deux compères de *Stargate Atlantis*

Donc… SG-1 SG3 et SG5 vont chercher une « bibliothèque » des Anciens (comme celle qui a envahi le cerveau d'O'Neill). Ils sont attaqués par des Goa'ulds. C'est plus passionnant que ce qui se passe à la Maison Blanche !
Et O'Neill se fourre de nouveau la gueule dans la machine/bibliothèque des Anciens !
Carter se pointe chez O'Neill (elle pense qu'il est condamné…)
Ces scènes "d'amour impossible" sont un peu agaçantes.
« Carter, vous êtes une des plus grandes ressources naturelles de ce pays, voire même l'un de nos trésors nationaux », déclare O'Neill à Carter…
Manque de bol, Jackson vient au mauvais moment accompagné de Teal'c… Donc pas de déclaration d'amour.
Hammond est relevé de ses fonctions et remplacé par Elizabeth Weir.
Anubis menace la Terre. Avec les indications d'O'Neill, Jackson détermine l'adresse de la planète de la cité perdue à taper sur le clavier de la porte des étoiles.
À chaque fois que Carter tente de faire sa déclaration d'amour, O'Neill répond : « Je sais !! »
Ils arrivent sur la planète des Anciens pendant qu'Anubis détruit des vaisseaux de guerre US sur la Terre.
C'est là que se trouve la cité des Anciens dans l'Antarctique. Et voici notre premier E2PZ !
Quelle belle bataille aérienne au-dessus de l'Antarctique.
Vous l'avez compris, ces deux épisodes préparent le spin off *Stargate Atlantis*.

Saison 8 Les Amours de Carter (roman-photo) et la défaite des Goa'ulds

0801 et 0802 Mésalliance 1 et 2 (New Order 1 et 2)
Souvenez-vous des réplicateurs et particulièrement de « No 5 ».Et des épisodes précédents. Tiens le Dr Weir a changé de physique (ils ont changé l'actrice !). Elle annonce à Jackson qu'une commission internationale doit se constituer avant d'utiliser la base de l'Antarctique. SG-1 cherche à sauver O'Neill resté "congelé" dans cette base. Il faut aller chercher de 'laide chez les Asgards. Carter porte un délicieux débardeur. Elle est partie avec Teal'c. Le SG-C reçoit un message Goa'uld proposant une négociation. Carter et Teal'c sont sortis de l'hyper espace à côté d'un trou noir ! Ils sont recueillis par Thor qui surveille les réplicateurs. Ces derniers foncent sur Thor.
Les négociateurs Goa'uld arrivent au SG-C. Il est question du danger présenté par Ba'al.
Le vaisseau de Thor est infesté de réplicateurs.et Carter est enlevée par eux. Elle se trouve en présence de No 5.
Thor revient sur Terre et récupère le corps d'O'Neill afin de le "réveiller". Mais juste avant, grâce à sa fusion avec l'ordinateur du vaisseau, il crée une arme anti réplicateur. Quant à Carter elle est de nouveau aimée par un extraterrestre : No 5 !
Elizabeth Weir est promue général, Carter Lieutenant-colonel et No 5 a créé Repli Carter...

0803 Quarantaine (Lockdown)
Un équipage russe de l'ISS évite de justesse un débris provenant de la bataille spatiale des épisodes précédents, puis... le SG-C perd le contact. Un colonel russe est affecté au SG-C et il sollicite sa participation au SG-1. Refus. Teal'c va emménager dans un appartement en ville. Ce colonel russe tombe malade et attrape de grosses pustules sur les bras. Jackson pète un plomb et se met à tirer sur les soldats (l'acteur n'est toujours pas très bon...)
Le SG-C est mis en quarantaine. La nouvelle docteur est très jolie, mais elle ne restera par longtemps dans la série.

Le Russe, Vaslov, semble avoir été infecté par une entité provenant de la collision de l'ISS. Anubis ! C'est lui ! Il passe d'un corps à l'autre en un instant...

0804 Heure H (Zero Hour)
Souvenez-vous : O'Neill torturé par Ba'al, il a découvert l'E2PZ et l'a utilisé dans l'Antarctique. Il a été nommé général.
Cinq heures plus tôt... Ils font venir une plante et O'Neill doit s'occuper de l'intendance. Le sergent Walter fait le secrétaire. Un civil arrive pour faire l'assistant du général. Mais que fait-il ici ? Le Dr Lee étudie la plante qui envahit bientôt complètement toute la base.
SG-1 et 3 vont sur une planète, mais je ne me souviens plus pourquoi faire... SG-1 se fait embarquer dans des anneaux de transfert et se retrouve dans un vaisseau Alkesh. C'est BA'AL. Il veut faire un échange contre Camulus, celui qui avait demandé asile. Tout cela à cause d'un E2PZ, « un extracteur du potentiel du point zéro, il tire son énergie des fluctuations du vide... »
Très ennuyeux d'autant plus qu'on nous prive de Carter dans plus de la moitié de l'épisode.

0805 Le Feu aux poudres (Icon)
Jackson est blessé, une jeune femme lui ôte ses bandages autour de la tête et de ses yeux.
Trois mois plus tôt. Un anneau Stargate sur une planète est exposé comme une relique archéologique. Il se met en route et SG-1 en sort (sauf O'Neill). Leur arrivée perturbe gravement la société dans laquelle ils arrivent.
Il fallait bien traiter ce genre de sujet. Mais le faire en 42 minutes est simpliste, voire caricatural.
Un épisode contre le fanatisme religieux.

0806 Avatar (Avatar)
Un super soldat attaque le SG-C par la porte des étoiles.
Bon ! Ce n'est qu'un jeu de simulation, un moyen d'entraînement virtuel créé par Lee.

Et Teal'c va se retrouver coincé dans la machine. Comment l'en faire sortir ?

0807 Monde cruel (Affinity)
Teal'c aménage dans son nouvel appartement et ne peut s'empêcher de faire régner l'ordre. Il a même, trouvé en sa voisine une bonne copine. Jolie la copine.
Carter retrouve son copain Peter (joué par David de Luix le frère de Peter de Luix le réalisateur)
La copine de Teal'c a un copain très agressif.
Carter se pose bien des questions sur sa vie quand Peter la demande en mariage.
Le petit ami de la voisine de Teal'c est assassiné. Teal'c part avec la fille est rattrapé et emprisonné. Trop attiré par les belles filles ce Teal'c. Abracadabrantesque !
Carter a fini par dire « oui » à Peter.

0808 Aux yeux du monde (Covenant)
Un milliardaire a découvert l'existence des extraterrestres et montre un Asgard à la presse…
Pas très intéressant.

0809 Discordes (Sacrifices)
Une histoire de Jaffas sans grand intérêt comme toutes les histoires de Jaffas.
Le pire des ennuis, mortel ! Ryac va se marier…

0810 Sans pitié (Endgame)
Souvenez-vous des épisodes précédents, notamment ceux sur la "confrérie". Trop inspirés de X-Files !
Carter est jolie tout habillée de cuir. Au début : la porte des étoiles se volatilise. Quelqu'un (la confrérie) envoie des missiles avec gaz mortel par la porte des étoiles. La gaz n'est mortel que pour les symbiotes (Goa'ulds et Jaffas). Les Jaffas soupçonnent la To'Kra puisque c'est elle qui a inventé le poison. (Genre de scénario pénible).

Carter (jamais vue aussi naïve) se fait téléporter dans la base de la confrérie (le vaisseau d'Osiris qu'ils ont récupéré).
C'est très nul...

0811 En détresse (Prometheus Unbound)
Et voici Vala ! On se demande pourquoi ils ont introduit ce nouveau personnage qui restera jusqu'à la fin.
Hammond invite Jackson à partir pour Atlantis (avec Walter !) Le plus plaisant est le Dr Novak qui a le hoquet.
Le Prométhée reçoit un appel de détresse et, devinez quoi ? Ils y vont tête baissée comme des cons !
Il est vrai que Jackson sévit sur le vaisseau. Dans le domaine de la connerie, c'est un spécialiste.
Encore plus débile que le précédent. En plus, un épisode entier sans Carter !

<u>0812 Vulnerable Gemini</u>
Souvenez-vous des réplicateurs et de l'un d'entre eux : le No 5. Et aussi de l'enlèvement de Carter et de la création de RépliCarter...
La jeune femme porte de nouveau son débardeur très sexy.
Voici RépliCarter qui arrive par la portev des étoiles.
O'Neill dit : « On en a une déjà ici » (de Carter), « mais nous sommes deux ! » répond RépliCarter. « J'aimerais bien... » Avance O'Neill.
RépliCarter veut se faire détruire.
Enfin ! Nous voici de nouveau =dans l'esprit « SG-1 » après de trop nombreux épisodes inintéressants.
Cette fois c'est Carter qui est naïve (enfin... ce n'est pas la première fois...), mais on peut comprendre qu'elle hésite à tuer son double.
On est comme O'Neill, un épisode avec deux Carter ça plaît !
Un scénario très subtil et très intelligent...

0813 Abus de pouvoir (It's good to be King)
Maybourne est devenu roi, car il a su lire des inscriptions qui prédisaient l'avenir.

0814 Alerte maximum (Full Alert)

Encore Kinsley... Très pénible!
Dans l'épisode 0810 le vaisseau d'Osiris vole par la "confrérie" a réussi à s'enfuir.
O'Neill a acheté des packs de bière... Et devinez qui l'attend dans son salon ? Kinsley ! Non... ne vous énervez pas. Il y a de quoi pourtant...Kinsley propose un marché à O'Neill pour arrêter la "confrérie".

0815 et 0816 La Dernière chance 1 et 2 (Reckoning 1 et 2)

RépliCarter est de retour. Ba'al domine les Grands Maîtres. Samantha Carter est arrêtée par la représentante de Ba'al. C'est RépliCarter ! Elle exécute les Goa'ulds présents. On a de nouveau un épisode avec deux Carter. C'est curieux ils ont changé le comédien français qui double Bratac.
SG-1, Tealc et Bratac sont attaqués par des réplicateurs (les "ceabes") dans le vaisseau Goa'uld affrété par les Jaffas. Jacob vient prévenir le SG-C que les réplicateurs attaquent les Goa'ulds et sont en train d'envahir toute la galaxie.
RépliCarter a enlevé Jackson pour lui soutirer des infos sur la technologie des Anciens (infos qu'il avait, car il en était devenu un d'Ancien). Teal'c envisage de conquérir le temple de Dakara. Carter et Thor recherchent le code du disrupteur qui détruit les réplicateurs.
Le volet Jaffa de cet épisode est aussi ennuyeux que les autres consacrés aux Jaffas.
Ba'al propose une alliance aux Terriens. O'Neill refuse pour sauver l'expédition Jaffa contre Dakara.
Les scènes avec Jackson sont aussi ennuyeuses que celles avec les Jaffas.
Anubis a pris corps, mais il détruit son hôte petit à petit.. Ba'al est devenu son vassal.
Sur Dakara il y a une superbe arme des Anciens. Les catastrophes se succèdent, mais ne craignez rien, ça ira ! Et Jackson passe sa "vie" à mourir et renaître... Enfin, pour le moment il semble mort... Mais je vous le dis, on n'en est pas débarrassé.

0817 Pour la vie (Threads)

L'amour entre Carter et O'Neill.
Mais on sait que l'histoire du mariage raté de Carter avec Peter n'est pas approuvée par l'actrice Amanda Tapping (qui joue le rôle de Carter), car elle l'a dit dans une interview.
Quant à Jackson, il va encore nous fatiguer avec ses "ascension" à répétition… Et la formation de la nouvelle Jaffa est ennuyeuse. Seule l'histoire d'amour entre Sam et Jack (Carter et O'Neill) peut intéresser, mais quand on sait que l'acteur Richard Anderson (qui joue O'Neill) va carrément disparaître de la série pour raisons personnelles, on ne voit pas l'intérêt d'avoir poussé cette romance si loin.
Enfin, la scène où Carter rend visite à O'Neill chez lui est très émouvante. Mais la pauvre est toujours interrompue.
Autrement on apprend comment Anubis a fait son ascension…

0818 Rien à perdre (Citizen Joe)
Un type trouve le petit objet des Anciens qui lui fait revivre toutes les aventures de SG-1 !
L'occasion, comme on en a l'habitude, de survoler les épisodes précédents.

0819 et 0830 Retours vers le futur 1 et 2 (Moebius 1 et 2)
Une fois de plis O'Neill et Carter ont des rapports physiques, mais ce ne sont pas les bons O'Neill et Carter, enfin, disons plutôt que ce ne sont pas les nôtres.
Un deuxième vaisseau terrien a été construit : le Dédale.
Catherine Lagford est morte. Sa nièce remet un pendentif à Jackson et lui fait envoyer tous les artefacts de sa tante.
Il y a un vieux livre avec une gravure qui représente un E2PZ. Jackson propose de retourner 5000 ans en arrière pour aller le chercher. Bon !
Rien de nouveau sous le soleil de nos écrans télé avec ces voyages dans le temps.
La machine à voyager dans le temps est dans un Jumper (tiens je ne me souviens plus comment ils ont trouvé ce Jumper…)
Vous connaissez "l'effet papillon" ? Piquer un E2PZ 5000 ans auparavant est une modification du passé que je sache. Enfin, bref. SG-

1 reste coincé en Égypte 5000 ans auparavant, donc… le futur est changé. Carter est devenue complètement nunuche, etc.
L'US Air Force a retrouvé une caméra dans une antique urne égyptienne. On voit SG-1 sur le film que contient la caméra. Je me demande si un enregistrement numérique peut rester stable 5000 ans. Enfin… (Soupir)
Il y a même Mc Kay toujours aussi désagréable et qu'il va falloir supporter dans Stargate Atlantis !
Quand je pense qu'ils s'y sont mis à quatre pour écrire ce scénario !

Saison 9 Quête du Graal, Oris et hérétiques

0901 et 0902 Le Trésor d'Avalon 1 et 2 (Avalon 1 et 2)
Et voici Cameron Mitchell qui va devenir chef du SG-1. Et O'Neill a disparu (voir la raison ci-dessus : R. D. Anderson s'occupe de sa fille…), il est remplacé par le général Landry.
Mitchell doit composer son équipe. Carter est partie dans la zone 51 et Teal'c parti. Amanda Tapping est enceinte et va accoucher, c'est pourquoi on va être privé de Carter pendant cinq épisodes. Jackson est muté. Ce pauvre Mitchell est nommé chef du SG-1, mais il n'y a plus personne !
Et voici Vala… Jackson porte la barbe.
Vala amène des artefacts dont deux bracelets. Elle en place un sur le poignet de Jackson et un autre sur le sien. Très naïf ce Jackson. Ces deux bracelets lient Vala et Jackson. On apprend que Merlin l'enchanteur est un Ancien. Donc on nous rappelle que les Chevaliers de la Table Ronde ont caché le Saint Graal à Avalon. Faut y aller. Ça se trouve en Grande-Bretagne. On entre dans le domaine de la Fantasy et on va y rester jusqu'à la fin.
Finalement Jackson est donc obligé de rester au SG-C. L'équipe se reconstitue sauf Carter(bien sûr !), mais avec Vala (avaient-ils l'intention de remplacer Carter dans le casting ?)
Ils trouvent l'épée plantée : Excalibur. Pour arriver à trouver le trésor il faut passer des épreuves.
Avant qu'on appelle les Anciens, des Anciens, ils s'appelaient les Altérans.
Dans le trésor ils trouvent un appareil qui téléporte Jackson et Vala dans le corps d'un autre couple sur une autre planète où s'exerce le culte des Oris. Et il y a une résistance !

0903 Le Livre des Origines (Origin)
C'est la suite des précédents.
Jackson et Vala sont emmenés dans la "Cité des Dieux" par un prêcheur des Oris. Sur une autre planète on voit un autre prêcheur à l'œuvre pour endoctriner. Comment lutter contre les Oris ? Aujourd'hui, en janvier 2016, à l'heure où je retranscris ces notes sur la série, écrites il y a de

longues années, cette partie concernant les Oris semble reliée à une brûlante actualité…

0904 Ce Lien qui nous unit (The Ties that Bond)
Jackson est toujours barbu. Et Vala fait son cinéma sexy avant de partir. Ses appâts ne sont pas à la hauteur de ses simagrées. J'adore Mitchell. Jackson s'évanouit. L'effet des bracelets se poursuit. Quant au Dr Lam, elle ne parviendra jamais à remplacer le Dr Fraiser, même si l'actrice (Lexa Doig) est la femme de Michael Shanks dans la vie civile. Pour que ce lien entre Vala et Jackson soit rompu, il faut, il faut aller chercher quelqu'un…

0905 Prosélytisme (The Powers that be)
(Cater est bientôt de retour!)
Vala continue son cinéma hypertrophié. Les prêcheurs sont présents sur 43 planètes et SG-1 va donc sur une planète que Vala a désignée. Elle a été autrefois un Goa'uld… la déesse Quetesh. Un prêcheur sévit sur cette planète. Ces histoires d'Oris ont encore besoin de faire leurs preuves.

0906 Le Piège (Beachhead)
Souvenez-vous des épisodes précédents. Un prêcheur massacre toute une planète qui ne veut pas se soumettre. (ça vous rappelle l'actualité ?) Le SG-C reçoit un message de Nerus, un Goa'uld. Il propose ses services au SG-C.
Et voici Carter ! Ouf ! Elle va pouvoir sauver le monde…
Superbe bataille spatiale. Mais les bavardages de Nerus sont d'un ennuyeux. Les Oris construisent une énorme porte des étoiles en orbite. Vala a une idée géniale.

0907 Terre d'asile (Ex-Deus Machina)
Rappel de quelques épisodes précédents. Il s'agit de la "confrérie" tout entière infestée par des Goa'ulds.
Un Jaffa est retrouvé mort sur Terre. Pas loin d'une usine désaffectée. Ça sent le Goa'uld. Pendant ce temps, sur Dakara, d'ennuyeux débats

politiciens se déroulent au Haut Conseil Jaffa dirigé par le simiesque Gerak et on aperçoit Ba'al qui s'est installé sur Terre.
« Il y a des Goa'ulds sur Terre et ils gagnent en puissance », constate Jackson. Il faut capturer Ba'al avant Gerak. Mais Ba'al ne capture pas comme ça.
Belle bataille entre Jaffas et services de sécurité dans un immeuble de bureaux… D'autant plus qu'il faut chercher la bombe…Et… il y a plusieurs Ba'al ???

0908 Pour l'honneur (Babylon)
J'aime mieux Teal'c avec des cheveux.
À la recherche des guerriers de Sodan, SG-1 va les trouver… Mitchell se fait enlever.
Le chef des services et joué par l'acteur de *Candyman*.
Mitchell subit un entraînement intensif du niveau des meilleurs guerriers.
Il y a un prêcheur qui sévit aussi ici. Mitchell doit affronter un guerrier dans une lutte à mort. C'est pour cela qu'il subit cet entraînement.
Le prêcheur est joué par l'acteur de l'homme à la cigarette de *X-Files*…

0909 Prototype (Prototype)
Encore Woolsey.
La prote des étoiles déconne : elle envoie SG5 avec Carter vers une autre destination que celle qui a été prévue.
« Je n'ai jamais vu de panne de ce genre ! » Déclare Carter. En fin de compte cela s'avère être un système de protection de la porte de destination. Ils vont donc essayer de pirater le code d'accès à ce système. Ils y parviennent. J'ai oublié de vous dire qu'ils voulaient aller sur une planète qui envoie une signature gravitationnelle inhabituelle. Ils y trouvent des anneaux de transport (téléportation) qui les amène dans une crypte souterraine qui abrite un engin tel que celui de Niirti et Mitchell réveille un corps enfermé dans un sarcophage en verre. Ce type est recueilli et reprend vie. Il déclare qu'il a servi de cobaye. Il est très affaibli. Mais c'est le fils d'Anubis, pas la réplication de son ADN. Pour une fois Jackson est d'aplomb : il propose d'éliminer le fils d'Anubis.

Woolsey se ramène et dit que la CIS ordonne de l'étudier, donc de le maintenir en vie. Toujours aussi pénible ce Woolsey. Quand on pense qu'ils vont le nommer chef d'Atlantis (saison 5 de Stargate Atlantis) On nous a trop fait le coup du danger de fermeture du SG-C… Comment ils font pour ne pas virer cet imbécile de Woolsey…. Ce Con-nard de Woolsey !

0910 et 0911 Le Quatrième cavalier de l'Apocalypse 1 et 2 (The Fourth Horseman 1 et 2)

On revient aux Oris. On s'ennuie ferme avec les Jaffas et leur chef simiesque qui se fait endoctriner par un prêcheur. Carter veut créer une arme contre les prêcheurs à partir de l'étude du type de l'épisode précédent…
Le général Hammond se fait enlever et un lieutenant arrêter. Le lieutenant et d'autres sont contaminés par le virus des Oris ? Une épidémie se déclenche. Et voici cet Ancien, Orlin, qui était amoureux de Carter qui réapparaît sous forme d'un enfant. Il vient donner un coup de main à Carter et il fait un vrai sacrifice. Pour poursuivre les recherches contre le virus, il faut un échantillon de sang du prêcheur à l'origine de l'épidémie. Le Dr Lee a trouvé une machine pour neutralise le pouvoir des prêcheurs. À suivre…
On nous ennuie encore avec les débats chez les Jaffas. Ils sont assez cons pour adorer des gens parce qu'ils soulèvent des livres par le regard…
SG-1 a été fait prisonnier par les guerriers de Sodan. Ces derniers ont rejeté la foi des Oris. SG-1 va les aider à neutraliser le prêcheur avec l'appareil qu'ils comptent fabriquer.
On fatigue le téléspectateur avec d'autres débats politiciens internationaux.
Orlin, quant à lui, a choppé la maladie d'Alzheimer ; si jeune ! Quant aux rapports entre le général Landry et sa fille, le Dr Lam : bof !
La fin est un peu niaise…

0912 Dommage collatéral (Collateral Damage)

Mitchell a assassiné sa fiancée ! Mais… on n'est pas sur Terre. Mais comment en est-on arrivé là ?

24 heures plus tôt : bon, on comprend de suite qu'une machine permet à quiconque de transférer ses souvenirs chez quelqu'un d'autre. Une machine Goa'uld... Ah ! ces Goa'ulds, s'ils n'existaient pas, il faudrait les inventer...

0913 Effet domino (Ripple Effect)
« Activation extérieure non programmée de la porte des étoiles » : SG-1 est en avance. Et ils n'ont pas remarqué une espèce de flash dans la porte... Quelques minutes plus tard, SG-1 arrive. Il y a deux SG-1 ! J'adore.
Carter expose la théorie quantique (ou des cordes ?) du multivers et des univers parallèles. Quel délice : deux Carter !
Et... hop ! Un troisième SG-1, puis un autre, puis encore un autre... Quel régal : 18 SG-1 !!! Dont l'un avec le Dr Fraiser... Super, donc 18 Carter. Et il y a même Martouf. On ne saura jamais avec qui est Carter dans le monde de Martouf, car ils sont interrompus par une autre Carter. Faut trouver une solution pour envoyer tout le monde à la maison avec l'aide des Asgards. Qui d'autre pourrait avoir une solution ? Avec 18 Carter ça devrait le faire !
Deux SG-1 embarquent sur le Prométhée pour aller chercher une solution. Un conflit se dessine... Pas évident de trancher.

0914 Prise de contrôle (Stronghold)
Encore des débats politiques ennuyeux chez les Jaffas. Un copain à Mitchell est gravement malade. Ce copain lui avait sauvé la vie quatre ans auparavant et il veut savoir ce que fait Mitchell dans la vie. Ce dernier le lui fait savoir.
Et que se trame-t-il sur Dakara ? Teal'c a été fait prisonnier (Pas très ergonomique la tenue Jaffa) par... Ba'al qui lui propose une alliance...

0915 Ingérence (Ethon)
Souvenons-nous de quelques épisodes précédents.
Jared arrive au SG-C. Il vient de Tegalus, là où ils se faisaient la guerre et où Jackson s'était trouvé coincé tout seul. Un prêcheur des Oris est allé sur Tegalus et a mis en place une arme par satellite. Le SG-C

envoie le Prométhée pour détruire le satellite. Ce con de Jackson a encore sévi avec sa naïveté coutumière. Quand vont-ils le virer ?

0916 Hors limite (Off the Grid)
SG-1 poursuivis tentent d'emprunter une porte des étoiles quand cette dernière est téléportée! Tout cela à cause d'un maïs qui rend dépendant. Carter déguisée en "Boucle d'or" (dixit Mitchell)a un joli décolleté. Le général Landry envoie l'Odyssée récupérer SG-1 prisonnier. (Vous vous souvenez que le Prométhée a été détruit dans l'épisode précédent...)
Landry va rendre visite au Goa'uld soumis aux Oris et en prison dans la zone 51 (voir épisode 0906 : ce Goa'uld s'appelle Nerus). Il semblerait que ce soit Ba'al qui téléporte les portes des étoiles.
SG-1 est sauvé par la téléportation sur l'Odyssée. Il est envoyé en mission pour récupérer les portes des étoiles.
Ba'al utilise une technologie élaborée par Nerus. Les trafiquants (L'alliance Lucian) recherchent les portes également. SG-1 s'introduit en commando dans le vaisseau de Ba'al.

0917 Le Châtiment (The Sourge)
Des membres du CIS veulent visiter le site Gamma. SG-1 doit les escorter. Je ne sais pas pourquoi le scénariste et le producteur persistent à nous infliger leurs politiciens. Sur Gamma un entomologiste étudie un insecte R75 ; ces insectes apparaissent en même temps que les prêcheurs Oris. Vous avez deviné, hein ? Ces insectes vont poser un gros problème. D'abord, on s'aperçoit qu'ils aiment... la viande. Brrrhh...
Jackson drague la belle Chinoise. Et il y a une invasion d'insectes. Si ! si !
Et Woolsey est toujours aussi pénible : chantage, menaces, etc. Toujours égal à lui-même.
En résumé : les politiciens sont cons, trouillards et nuls, et heureusement que SG-1 est là !
(Mitchell propose d'aller voir le film *Starship Troopers* !)

0918 Le Manteau d'Arthur (Arthur's Mantel)

Rappelons-nous que Merlin était un Ancien.
Carter manipule l'artefact de la grotte d'Arthur et disparaît avec Mitchell. Enfin, disons qu'ils sont toujours là, mais dans une autre dimension localisée... Carter fait un exposé sur la théorie "M" et ses 11 dimensions. [La théorie M est la théorie supposée faire la synthèse du nombre gigantesque de théories des cordes). Mitchell cite le film *Ghosts*.
Le SG-C reçoit un appel au secours des guerriers Sodan. Teal'c y va avec SG-12. C'est un vrai massacre.
Le Dr Lee cherche à retrouver Carter et Mitchell...
Il n'y a aucun lien entre les deux récits sauf que Mitchell va suivre l'équipe de secours pour Teal'c.
Merlin avait inventé une arme pour détruire les êtres de pure énergie. Mais où est-elle ?

0919 La Grande croisade (Crusade)

Voici Vala (prononcez ces deux mots à haute voix pour rire !) Sans doute réclamée par les fans sur Internet. Elle a pris la forme de Jackson, qui est moins agréable à regarder pour la gent masculine... Je vous passe les explications "scientifiques" du scénariste.
Les simagrées de Vala sont insupportables. Elle est enceinte sans avoir eu de rapports sexuels. Elle informe le SG-C que les Oris préparent la grande croisade. A part ça, que de bavardages !
Les Russes veulent récupérer la porte des étoiles (qui leur appartient, vous vous en souvenez...)
Attention, cet épisode est dangereux : il risque de vous faire mourir d'ennui ! On retrouve toujours le même paysage. Effets spéciaux minimalistes...
SG-1 recherche l'arme de Merlin...

0920 La Première vague (Camelot)

Donc ils cherchent l'arme de Merlin et voient, au milieu du village, l'épée plantée dans la pierre : le village s'appelle Camelot (ah ah ah) Et l'arme ? Ben c'est le Saint Graal (ah ah ah) Pas le Saint Graal, mais le même grand clavier en pierres...

L'Odyssée téléporte SG-1. La super porte Ori a été repérée. Mitchell et Jackson repartent dans la bibliothèque de Camelot. Pendant ce temps l'Odyssée s'est rendu aux abords de la porte Ori. Indestructible ! Carter est à bord de l'Odyssée. Elle endosse une combinaison spatiale pour aller installer un appareil qui doit "allumer" la porte des Oris pour la rendre inutilisable. Aïe ! La porte s'ouvre.
« L'invasion commence ! »
The Arrival ! Superbe bataille spatiale !

Saison 10 La Mort des Oris et l'arme de Merlin

1001 L'Orily (Flesh and Blood)
Carter est perdue dans l'espace dans sa combinaison spatiale à proximité du grand anneau (porte des étoiles) des Oris.
La bataille spatiale avec le vaisseau des Oris est perdue par l'alliance des Terriens – Jaffas – Asgards et Lucian... Vala accouche dans un vaisseau Ori. Les trafiquants menacent l'Odyssée de destruction s'ils ne se rendent pas. Mais c'est du bluff. Et il faut sauver Carter ! Superbe scène de récupération de Carter. Et Jackson ? Ben regardez l'épisode, je ne peux pas tout raconter !
La fille de Vala grandit à vue d'œil. Vala la baptise Adria, le nom de sa mère. Blablablabla, un npetit bavardage. Enfin, un gros même...
Carter, Teal'c et Mitchell accompagnent Bratac contre les Oris qui ont attaqué. Jackson est sur le vaisseau Ori d'Adria ? Ah ! Je vous l'ai dit quand même...

1002 Dans les bras de Morphée (Morpheus)
SG-1 continue à chercher l'arme de Merlin sur une planète sur laquelle ils finissent tous par s'endormir...

1003 Chassé-Croisé (The Pegasus Project)
SG-1 se rend sur Atlantis pour trouver des indices afin de localiser l'arme de Merlin. Carter et Mc Kay cherchent un moyen de neutraliser une super porte Ori. Mc Kay remercie Carter de l'avoir aidé dans son subconscient quand il était sous l'eau dans un Jumper (Stargate Atlantis 0214 *L'ivresse des profondeurs*)
Vala et Jackson interrogent une Ancienne.

1004 La Guerre des clones (Insiders)
SG-1 capture Ba'al. Il est fait prisonnier, mais il sait se multiplier comme des petits pains...

1005 La Créature *(Uninvited)*

Mitchell et Landry se retrouvent pour passer un week-end dans la maison de campagne d'O'Neill. Mais, vous vous en doutez : la détente ne sera pas au rendez-vous. Teal'c enquête sur une planète où des gens ont été mutilés... Du coup SG-1 ne peut pas rejoindre Mitchell et Landry.
Il y a bien un monstre sur cette planète et aussi dans la forêt où se trouve la maison d'O'Neill.5faut encore supporter les simagrées de Vala)
Le problème vient du camouflage optique des Sodan.

1006 Wormhole X-trême le film (200)
C'est le 200e épisode.
L'Alien machin revient pour tourner un film sur SG-1 ? Le plus intéressant est le mariage de Carter et O'Neill imaginé par Vala...

<u>1007 La Riposte (Counterstrike)</u>
Souvenez-vous de l'arme des Dakara qui détruit les réplicateurs et la maison d'Adria, la femme Ori (les Oris ne peuvent venir dans notre galaxie, car les Anciens veillent, alors ils ont créé un être humain avec leurs pouvoirs : Adria)
La religion Ori se répand sur les planètes.
Tous les habitants d'une planète ayant reçu la visite d'Adria sont exterminés. SG-1 a été téléporté sur l'Odyssée juste avant. Ils pensent donc qu'Adria est morte aussi. Les Jaffas ont utilisé l'arme des Anciens sur Dakara par l'intermédiaire de la porte des étoiles. SG-1 s'introduit dans une maison Ori qui semble abandonnée sur la planète victime de cette arme.
Excellent épisode. Même les Jaffas ne sont pas balourds comme d'habitude.

1008 Amnésie (Memento Mori)
Et voici Vala serveuse dans un restaurant, mais elle ne semble pas savoir qui elle est vraiment ? On nous explique ensuite qu'elle a été enlevée par la confrérie Goa'uld. Elle a perdu la mémoire au moment de sa libération et s'est enfuie.

1009 Aux Mains des rebelles (Company of Thieves)
L'Odyssée est attaqué par trois vaisseaux mère Goa'uld. Ce sont des rebelles de l'Alliance Lucian.
Vala récupère un vieux cargo Goa'uld pour rejoindre l'Odyssée aux mains des rebelles.
Pas commodes ces rebelles. Alors Mitchell va infiltrer l'Alliance au plus haut sommet.
Superbe scénario plein de rebondissements.

1010 et 1011 La Quête du Graal 1 et 2 (The Quest 1 et 2)
Jackson est toujours à la recherche de l'arme de Merlin. Vala a trouvé la solution... en rêve. La quête risque d'être mortelle. Il y a même, un dragon. Et arrive un groupe de soldats Oris. Ils vont affronter différents pièges... Ils retrouvent Ba'al et Adria. Belle compagnie.
À suivre.
Ils échappent au dragon. Et devinez qui ils vont trouver ? Merlin ! Alors qu'ils ont été téléportés sur une autre planète. Ils vont de planète en planète, poursuivis par Adria. Carter étend Ba'al d'un bon coup de poing : la meilleure scène des deux épisodes.
Jackson va disparaître pendant plusieurs épisodes avant de réapparaître.... En prêcheur !

1012 La Grande Illusion (Line in the Sand)
Carter a adapté l'appareil de Merlin pour déplacer un village sans une autre dimension afin de le soustraire au prêcheur. Mais les fluctuations d'énergie des générateurs arrêtent la machine. Les Oris ont de fabuleuses péniches de débarquement. Carter est gravement blessée et Vala retrouve Tomin son mari, chef des soldats Oris. Discussion entre Mitchell et Carter sur Dieu. Mitchell lui raconte que sa grand-mère lui parlait de Dieu jusqu'à ce qu'il hoche la tête et qu'elle lui donne un macaron.
On verra une allusion à cette scène à la fin du film *The Ark of Truth*.
La fin de cet épisode porte aussi sur les macarons de la grand-mère de Mitchell.

1013 Dimension parallèle (The Road not Taken)

Carter essaie de régler l'appareil de Merlin (voir épisode précédent) et elle disparaît dans une autre dimension dans laquelle tout n'est pas vraiment comme dans la sienne.
Un épisode centré sur Carter : un délice. La Terre de ce nouvel univers est menacée par les Oris.
Très amusant cet épisode où Carter fait sa révolution à elle toute seule.

1014 Question de confiance (The Shroud)
On était tranquille sans Jackson, hélas, le voilà… en prêcheur. Ça fait un prêcheur niais. Inimaginable ! Et même une petite amourette entre Adria et Jackson. Même O'Neill est de retour, on ne comprend pas pourquoi… Et Woolsey aussi. Grosse, grosse décision à prendre.
Le stratagème de Jackson/Merlin a fonctionné ! Les Oris sont-ils détruits ? On le saura dans le film *The Ark of Truth*.

1015 Mort ou vif (Bounty)
SG-1 s'est introduit dans un convoi de transport du maïs/drogue. Les trafiquants ne sont pas contents : ils offrent une prime maxi pour la tête de SG-1. Ses membres sont dispersés et subissent chacun la menace. Très amusant !

1016 Prise d'otages (Bad Guys)
Les recherches de Jackson sont tirées par les cheveux, mais enfin… ils vont chercher des armes des Anciens sur une planète sans Carter. Ils arrivent dans un musée et prennent involontairement des gens en otage…

1017 La Loi du Talion (Talion)
Il fait noir sur la planète où ils sont. Il y a plein de cadavres de Jaffas ; Bradac et Teal'c blessés. Ce carnage est le résultat d'un attentat à la bombe dans un campement Jaffa qui abritait une réunion au sommet. Il faut retrouver l'auteur de cet attentat qui n'est qu'un épisode de la préparation d'une attaque contre la Terre.
Teal'c contre SG-1 : amusant… N'importe quoi cet épisode.

1018 Un Air de famille (Family Ties)

Le père de Vala arrive au SG-C. ,Pas intéressant.

1019 La Symbiose du mal (Dominion)
Vala joue dans une taverne et triche. Elle est sauvée de justesse par Adria. Elle lui raconte pourquoi elle n'est plus au SG-C.
La CIS veut isoler Vala dans la zone 51, car elle pense que Vala est manipulée par Adria ce qui est faux. Vala s'évade. Vous allez voir que ce n'est pas si simple et il y a même Ba'al qui s'en mêle.
Et les Tokra qu'on appelle au secours…
Un épisode complexe comme je les aime…

1020 Le temps d'une vie (Unending)
SG-1 se retrouve coincé dans l'espace-temps et y vit 50 ans ! Mais Carter finira par trouver une solution. Une belle fable sur la persévérance et la détermination.
L'espèce des Asgards s'éteint et Thor propose au SG-C de leur offrir toute la technologie et les connaissances Asgard ? L'Odyssée est attaqué par des vaisseaux Ori et les armes Asgard s'avèrent efficaces. Mais les Oris les attendent à chaque sortie de l'hyperespace. Carter crée une bulle de dilatation temporelle pour échapper aux tirs Ori….

FIN DE *STARGATE SG-1*

Vous pourrez encore vous régaler avec *Stargate Atlantis*, bien mois qu'avec *Stargate SG-1* et surtout avec **Stargate Universe**, tout à fait différent, mais avec cette série vous régalerez autant sinon plus qu'avec *Stargate SG-1* !

Au-revoir et à bientôt pour d'autres aventures…

Annexes

Liste des épisodes de Stargate Atlantis

Première saison (2004-2005)
1. *Une nouvelle ère – 1re partie* (*Rising – Part 1*)
2. *Une nouvelle ère – 2e partie* (*Rising – Part 2*)
3. *Invulnérable* (*Hide And Seek*)
4. *38 minutes* (*Thirty-eight Minutes*)
5. *Soupçons* (*Suspicion*)
6. *La Fin de l'innocence* (*Childhood's end*)
7. *Sérum* (*Poisoning The Well*)
8. *Apparences* (*Underground*)
9. *Retour sur Terre* (*Home*)
10. *En pleine tempête – 1re partie* (*The Storm*)
11. *En pleine tempête – 2e partie* (*The Eye*)
12. *Duel* (*The Defiant One*)
13. *Virus* (*Hot Zone*)
14. *Hors d'atteinte* (*Sanctuary*)
15. *Le Grand Sommeil* (*Before I Sleep*)
16. *La Communauté des quinze* (*The Brotherhood*)
17. *Derniers Messages* (*Letters From Pegasus*)
18. *Sous hypnose* (*The Gift*)
19. *Assiégés – 1re partie* (*The Siege – Part 1*)
20. *Assiégés – 2e partie* (*The Siege – Part 2*)

Deuxième saison (2005-2006)
1. *Sous le feu de l'ennemi 3e partie* (*The Siege – Part 3*)
2. *I.A.* (*The Intruder*)
3. *Chasse à l'homme* (*Runner*)
4. *À corps perdu* (*Duet*)
5. *Les Condamnés* (*Condemned*)

6. *L'Expérience interdite (Trinity)*
7. *Instinct, 1re partie (Instinct)*
8. *Mutation, 2e partie (Conversion)*
9. *L'Aurore (Aurora)*
10. *L'union fait la force – 1re partie (The Lost Boys)*
11. *L'union fait la force – 2e partie (The Hive)*
12. *Tempus Fugit (Epiphany)*
13. *Masse critique (Critical Mass)*
14. *L'Ivresse des profondeurs (Grace Under Pressure)*
15. *La Tour (The Tower)*
16. *Possédés (The Long Goodbye)*
17. *Coup d'État (Coup d'État)*
18. *Traitement de choc (Michael)*
19. *Inferno (Inferno)*
20. *Les Alliés, 1re partie (Allies)*

Troisième saison (2006-2007)
1. *Menace sur la Terre– 2e partie (No Man's Land)*
2. *Transformation– 3e partie (Misbegotten)*
3. *Irrésistible (Irresistible)*
4. *Face à face (Sateda)*
5. *Copies conformes (Progeny)*
6. *Le Monde réel (The Real World)*
7. *Intérêts communs (Common Ground)*
8. *La Guerre des génies (McKay & Mrs. Miller)*
9. *La Machine infernale (Phantoms)*
10. *Exil forcé – 1re partie (The Return – Part 1)*
11. *Exil forcé – 2e partie (The Return – Part 2)*
12. *Le Chant des baleines (Echoes)*
13. *Invincible (Irresponsible)*
14. *Le Péril de la sagesse (Tao of Rodney)*
15. *Les jeux sont faits (The Game)*
16. *Âmes en détresse (The Ark)*
17. *Une question d'éthique (Sunday)*
18. *Immersion (Submersion)*
19. *L'Équilibre parfait (Vengeance)*

20. *Nom de code : Horizon– 1re partie* (*First Strike*)

Quatrième saison (2007-2008)
1. *À la dérive- 2e partie* (*Adrift*)
2. *Dernier recours- 3e partie* (*Lifeline*)
3. *Retrouvailles* (*Reunion*)
4. *Cauchemar sur Atlantis* (*Doppelganger*)
5. *Les Voyageurs* (*Travelers*)
6. *Perte de mémoire* (*Tabula Rasa*)
7. *Seules contre tous* (*Missing*)
8. *Le Prophète* (*The Seer*)
9. *Programmation mortelle* (*Miller's Crossing*)
10. *Double collision – 1re partie* (*This Mortal Coil (Part 1)*)
11. *Alliance forcée – 2e partie* (*Be All My Sins Remember'd (Part 2)*)
12. *Conséquences – 3e partie* (*Spoils of War (Part 3)*)
13. *Quarantaine* (*Quarantine*)
14. *Harmonie* (*Harmony*)
15. *Banni* (*Outcast*)
16. *Trio* (*Trio*)
17. *Infiltration Wraith* (*Midway*)
18. *Hybrides – 1re partie* (*The Kindred (Part 1)*)
19. *Hybrides – 2e partie* (*The Kindred (Part 2)*)
20. *Le dernier homme* (*The Last Man*)

Cinquième saison (2008-2009)
1. *La vie avant tout* (*Search and Rescue*)
2. *Contamination* (*The Seed*)
3. *Une question d'honneur* (*Broken Ties*)
4. *Tous les possibles* (*The Daedalus Variations*)
5. *Les fantômes du passé* (*Ghost In the Machine*)
6. *Seconde enfance* (*The Shrine*)
7. *Les démons de la brume* (*Whispers*)
8. *La nouvelle reine* (*The Queen*)
9. *Jeu de piste* (*Tracker*)
10. *Premier contact – 1re partie* (*First Contact – Part 1*)

11. *La tribu perdue – 2ᵉ partie* (*The Lost Tribe – Part 2*)
12. *Les Balarans* (*Outsiders*)
13. *Inquisition* (*Inquisition*)
14. *Le fils prodigue* (*The Prodigal*)
15. *Les Sekkaris* (*Remnants*)
16. *Rendez-vous glacial* (*Brain Storm*)
17. *Entre la vie et la mort* (*Infection*)
18. *Identité* (*Identity*)
19. *Las Vegas* (*Vegas*)
20. *L'empire contre-attaque* (*Enemy at the Gate*)

Liste des épisodes de Stargate Universe

Première saison (2009–2010)
1. *Air*, 1ʳᵉ partie (*Air*, Part 1)
2. *Air*, 2ᵉ partie (*Air*, Part 2)
3. *Air*, 3ᵉ partie (*Air*, Part 3)
4. *Ombre et Lumière*, 1ʳᵉ partie (*Darkness*, Part 1)
5. *Ombre et Lumière*, 2ᵉ partie (*Light*, Part 2)
6. *Eau* (*Water*)
7. *Terre* (*Earth*)
8. *Les Naufragés du temps* (*Time*)
9. *Un nouvel espoir* (*Life*)
10. *Soupçons* (*Justice*)
11. *Premier Contact* (*Space*)
12. *Mutinerie* (*Divided*)
13. *Éden* (*Faith*)
14. *Regrets Éternels* (*Human*)
15. *Seuls au Monde* (*Lost*)
16. *À la dérive* (*Sabotage*)
17. *La Somme de toutes les peurs* (*Pain*)
18. *Ennemi intérieur* (*Subversion*)
19. *L'Assaut*, 1ʳᵉ partie (*Incursion*, Part 1)
20. *L'Assaut*, 2ᵉ partie (*Incursion*, Part 2)

Deuxième saison (2010-2011)
1. *Main mise* (*Intervention*, Part 3)
2. *Retombées* (*Aftermath*)
3. *Miroir* (*Awakenings*)
4. *Influence* (*Pathogen*)
5. *Cloverdale* (*Cloverdale*)
6. *À bout* (*Trial and Error*)
7. *Pour le bien de tous* (*The Greater Good*)
8. *Sans pitié* (*Malice*)
9. *Retour d'Éden* (*Visitation*)
10. *Confrontation*, 1re partie (*Resurgence, Part 1*)
11. *Confrontation*, 2e partie (*Deliverance, Part 2*)
12. *Rush²* (*Twin Destinies*)
13. *De part et d'autre* (*Alliances*)
14. *D'un corps à l'autre* (*Hope*)
15. *Passage en force* (*Seizure*) *(Cross-over avec Stargate Atlantis)*
16. *La peur en face* (*The Hunt*)
17. *Les enfants du Destinée* (*Common Descent*)
18. *Novus* (*Epilogue*)
19. *Les Ailes d'Icare* (*Blockade*)
20. *Une famille* (*Gauntlet*)